찬송가 조에 맞춘

Cello 2부 100 선곡집

BOOK 1

이왕제(Leewangjae) 편저

책머리에

찬송가의 멜로디가 높은 음자리표로 되어 있기에 높은 음자리표에 익숙하지 않은 Cello 연주자를 위해 찬송가 조에 맞춘 Cello 2부 100 선곡집 1권을 내놓게 되었습니다.

특히, 찬송가 조에 맞춘 색소폰 앙상블 100 선곡집 1권(편저 이왕제)과 연계하여 색소폰 외 여러 악기와 함께 찬송가(통일찬송가, 새찬송가)로 연주할 수 있도록 편집하였습니다.

이 책이 예배의 회중 찬송, 피아노나 오르간 반주에 맞춘 독주, 중주, 특별찬양, 다양한 여러 악기와 함께 앙상블 악보로 교회음악과 연주 활동에 활용되기를 기대합니다.

교회음악이 대중음악화 되어가는 이 시대에 교회음악 영성 회복의 조그마한 씨앗이 되기를 바라며, 이 책을 만들 수 있는 동기와 가르침을 주신 고 나운영 박사님을 추모하며 존경의 마음으로 감사드립니다.

2024년 8월
이 왕 제

찬송가 Cello 2부 100 선곡집 목록표

번호	곡 명	번호	곡 명
1	갈보리산 위에(135. 새150장)	28	내 주여 뜻대로(431. 새549장)
2	거룩한 밤(새622장)	29	내 주의 보혈은(186. 새254장)
3	겸손히 주를 섬길 때(347. 새212장)	30	내 진정 사모하는(88. 새88장)
4	고생과 수고가 다 지난 후(289. 새610장)	31	내 평생에 가는 길(470. 새413장)
5	고요한 밤 거룩한 밤(109. 새109장)	32	너 근심 걱정 말아라(432. 새382장)
6	고통의 멍에 벗으려고(330. 새272장)	33	너 시험을 당해(395. 새342장)
7	괴로운 인생길 가는 몸이(290. 새479장)	34	너 예수께 조용히 나가(483. 새539장)
8	구주와 함께 나 죽었으니(465. 새407장)	35	네 병든 손 내밀라고(530. 새472장)
9	귀하신 주여 날 붙드사(490. 새433장)	36	때 저물어 날 이미 어두니(531. 새481장)
10	그 맑고 환한 밤중에(112. 새112장)	37	마음속에 근심 있는 사람(484. 새365장)
11	나 같은 죄인 살리신(405. 새305장)	38	멀리 멀리 갔더니(440. 새387장)
12	나 어느날 꿈속을 헤매며(84. 새134장)	39	목마른 내 영혼(409. 새309장)
13	나 주를 멀리 떠났다(331. 새273장)	40	믿는 사람들은 군병 같으니(389. 새351장)
14	나 주의 도움 받고자(349. 새214장)	41	변찮는 주님의 사랑과(214. 새270장)
15	나의 갈 길 다 가도록(434. 새384장)	42	빛나고 높은 보좌와(27. 새27장)
16	나의 영원하신 기업(492. 새435장)	43	샘물과 같은 보혈은(190. 새258장)
17	내 구주 예수를 더욱 사랑(511. 새314장)	44	선한 목자 되신 우리 주(442. 새569장)
18	내 기도하는 그 시간(482. 새364장)	45	성령이여 강림하사(177. 새190장)
19	내 너를 위하여(185. 새311장)	46	성자의 귀한 몸(356. 새216장)
20	내 맘이 낙심되며(406. 새300장)	47	슬픈 마음 있는 사람(91. 새91장)
21	내 모든 시험 무거운 짐을(363. 새337장)	48	십자가로 가까이(496. 새439장) 예수 나를 위하여(145. 새145장)
22	내 영혼의 그윽히 깊은 데서(469. 새412장)	49	아 하나님의 은혜로(410. 새310장)
23	내 영혼이 은총입어(495. 새438장)	50	아침 해가 돋을 때(358. 새552장)
24	내 주 되신 주를 참 사랑하고(512. 새315장)	51	양 아흔 아홉 마리는(191. 새297장)
25	내 주는 강한 성이요(384. 새585장)	52	어둔밤 쉬 되리니(370. 새330장)
26	내 주는 살아계시고(16. 새170장)	53	어디든지 예수 나를 이끌면(497. 새440장)
27	내 주를 가까이 하게 함은(364. 새338장)	54	어려운 일 당할때(342. 새543장)

번호	곡 명	번호	곡 명
55	여러 해 동안 주 떠나(336. 새278장)	83	주 하나님 지으신 모든 세계(40. 새79장)
56	예수가 함께 계시니(359. 새325장)	84	주를 앙모하는 자(394. 새354장)
57	예수는 나의 힘이요(93. 새93장)	85	주여 지난밤 내 꿈에(542. 새490장)
58	오 놀라운 구세주 예수 내 주(446. 새391장)	86	주의 곁에 있을 때(457. 새401장)
59	오 신실하신 주(447. 새393장)	87	주의 음성을 내가 들으니(219. 새540장)
60	우리 다시 만날 때까지(524. 새222장)	88	진실하신 주 성령(181. 새189장)
61	우리가 지금은 나그네 되어도(270. 새508장)	89	참 반가운 신도여(122. 새122장)
62	우리는 주님을 늘 배반하나(412. 새290장)	90	참 아름다워라(78. 새478장)
63	웬일인가 내 형제여(269. 새522장) 웬말인가 날 위하여(141. 새143장)	91	천부여 의지 없어서(338. 새280장)
64	이 눈에 아무 증거 아니 뵈어도(344. 새545장)	92	천사 찬송하기를(126. 새126장)
65	이 몸의 소망 무엔가(539. 새488장)	93	태산을 넘어 험곡에 가도(502. 새445장)
66	이 세상 험하고(197. 새263장)	94	피난처 있으니(79. 새70장)
67	이 세상에 근심된 일이 많고(474. 새486장)	95	하나님 아버지 주신 책은(241. 새202장)
68	이 세상의 모든 죄를(195. 새261장)	96	하늘 가는 밝은 길이(545. 새493장)
69	인애하신 구세주여(337. 새279장)	97	하늘에 계신(주기도문) (새635장)
70	자비하신 예수여(450. 새395장)	98	할렐루야 우리 예수(159. 새161장)
71	저 높은 곳을 향하여(543. 새491장)	99	험한 시험 물 속에서(463. 새400장)
72	저 들 밖에 한밤중에(123. 새123장)	100	환난과 핍박 중에도(383. 새336장)
73	죄짐 맡은 우리 구주(487. 새369장)	101	예수님은 사랑을 가르칠 때에(이왕제)
74	주 날개 밑 내가 편안히 쉬네(478. 새419장)	101-1	예수님은 사랑을 가르칠 때에(이왕제)-피아노4부
75	주 달려 죽은 십자가(147. 새149장)	102	예수 사랑하심은(이왕제)
76	주 안에 있는 나에게(455. 새370장)	102-1	예수 사랑하심은(이왕제)-피아노4부
77	주 없이 살 수 없네(415. 새292장)	103	욕심이 잉태하여 죄악을 낳고(이왕제)
78	주 예수 내 맘에 들어와 계신 후(208. 새289장)	103-1	욕심이 잉태하여 죄악을 낳고(이왕제)-피아노4부
79	주 예수 대문 밖에(325. 새535장)	104	선한 목자 되신 우리 주(이왕제)
80	주 예수보다 더 귀한 것은 없네(102. 새94장)	104-1	선한 목자 되신 우리 주(이왕제)-피아노4부
81	주 예수여 은혜를(486. 새368장)	105	하늘에 계신 우리 아버지(이왕제)
82	주 음성 외에는(500. 새446장)	105-1	하늘에 계신 우리 아버지(이왕제)-피아노4부

이 책의 활용법

1. 가사는 1절과 마지막 절만 기록하였다.

2. 위 보표(악보) Cello 1은 멜로디, 아래 보표(악보) Cello 2는 화음을 연주한다.
    위 보표(악보) Cello 1(멜로디) 한 파트로 혼자 연주하면 Solo(독주)가 되고, 여럿이 함께 연주하면 Unison(유니슨)이 된다.
    Cello 1과 Cello 2, 둘이 함께 연주하면 2중주가 되고 여럿이 함께 하면 Cello 2부 앙상블이 된다.

3. 낮은 음자리표를 사용하는 C조 악기 더블 베이스, 트럼본, 튜바, 바순 악기로 함께 연주해도 된다.

4. C조 악기 피아노, 오르간, 바이올린, 비올라, 플루트, 오보에는 **찬송가**(통일찬송가, 새찬송가) 악보로, 색소폰, 클라리넷은 **찬송가 조에 맞춘 색소폰 앙상블 1권(편저 이왕제)**으로 함께 연주하면 찬송가 합주가 된다.

5. **찬송가(성가)**는 여흥을 위한 곡이 아니고 **예배의 영적 찬양곡**이기에 현란한 기교나 연주력을 과시하려말고 곡의 원음을 가감 없이 정확한 음정과 리듬으로 피아노, 오르간에 맞춰 **신령과 진정**으로 연주하는 예배자가 되시길 바랍니다.

1. 갈보리산 위에(135. 새150장)

G.Bennard/G.Bennard Arr. Leewangjae

Cello 1

1.갈 보 리 산 위 에 십 자 가 섰으니 주 가
4.주 가 예 비 하 신 나 의 본 향 집 에 나 를

Cello 2

고 난 을 당 한 표 라 험 한 십 자 가 를 내 가
부 르 실 그 날 까 지 험 한 십 자 가 를 항 상

사 랑 함 은 주 가 보 혈 을 흘 림 일 세 최 후
달 게 지 고 내 가 죽 도 록 충 성 하 리

승 리 를 얻 기 까 지 주 의 십 자 가 사 랑 하 리 빛 난

면 류 관 받 기 까 지 험 한 십 자 가 붙 들 겠 네

2. 거룩한 밤(새622장)

Adolphe Adam. Arr. Leewangjae

Cello 1
Cello 2
1.거 룩 한 밤 별 빛 이 찬 란
3.주 의 뜻 은 사 랑 과 평 화

하 다 우 리 주 예 수 님 나 신 이 밤
도 다 우 리 도 서 로 를 사 랑 하 세

오 랫 동 안 죄 악 에 얽 매 어 서 헤 매 던
주 님 께 서 사 슬 을 끊 으 시 니 이 땅 의

우 리 위 해 오 셨 네 온 땅 이 주 의
억 눌 림 사 라 - 져 기 쁨 의 찬 송

나 심 기 뻐 하 며 희 망 의 아 침 밝 아 오 도 다
함 께 부 르 면 서 주 님 의 이 름 높 이 기 리 세
무 릎 꿇 고 천 사 와 화 답 하 라 오
주 예 수 님 그 이 름 영 원 하 리 다
거 룩 한 밤 주 님 탄 생 하 신 밤 이
선 포 하 세 주 님 크 신 능 력 을 이
1.2.
밤 거 룩 한 밤 거 룩 한 밤
밤 거
3.
룩 한 밤 거 룩 한 밤

3. 겸손히 주를 섬길 때(347. 새212장)

W.Gladden/H.P.Smith Arr. Leewangjae

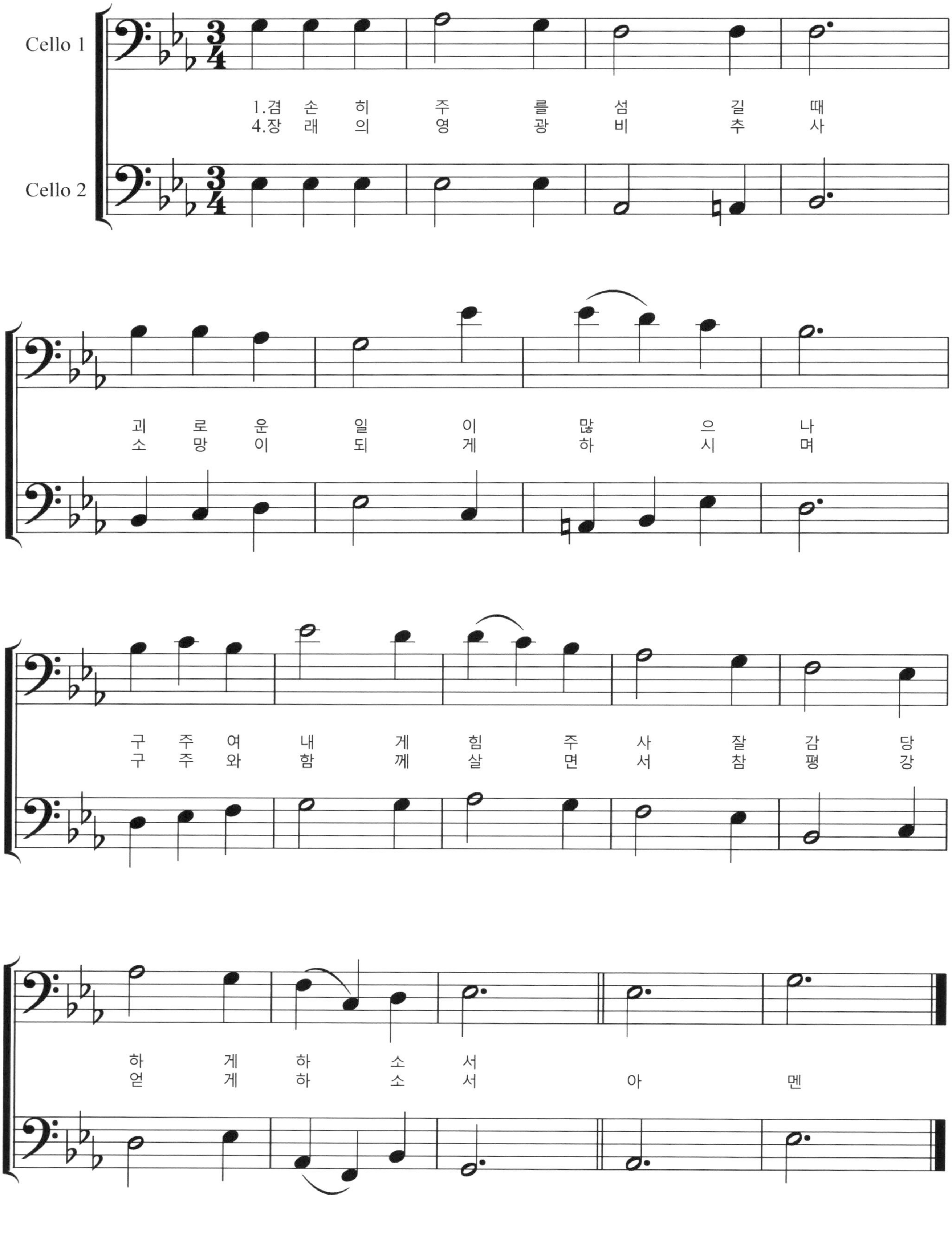

4. 고생과 수고가 다 지난 후(289. 새610장)

C.H.Gabriel/C.H.Gabriel Arr. Leewangjae

5. 고요한 밤 거룩한 밤(109. 새109장)

J.Mohr/F.X.Gruber. Arr. Leewangjae

Cello 1

1.고 요 한 밤　거 룩 한 밤　어 둠 에
4.고 요 한 밤　거 룩 한 밤　주 예 수

Cello 2

묻 힌 밤　주 의 부 모 앉 아 서　감 사 기 도
나 신 밤　그 의 얼 굴 광 채 가　세 상 빛 이

드 　 릴 때　아 기 잘 도 잔 　 다
되 　 셨 네　왕 이 나 셨 도 　 다

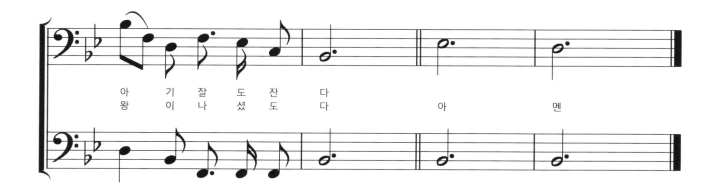

아 기 잘 도 잔 다　　아 　 멘
왕 이 나 셨 도 다

6. 고통의 멍에 벗으려고(330. 새272장)

W.T.Sleeper/G.C.Stebbins. Arr. Leewangjae

7. 괴로운 인생길 가는 몸이(290. 새479장)

T.R.Taylor/CAMBRIA. Arr. Leewangjae

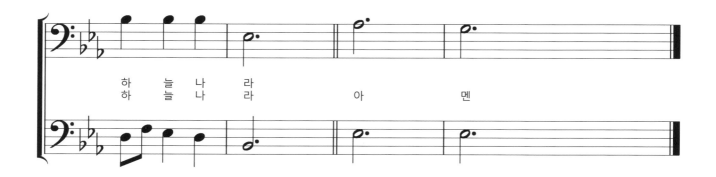

8. 구주와 함께 나 죽었으니(465. 새407장)

D.W.Whittle/M.W.Moody Arr. Leewangjae

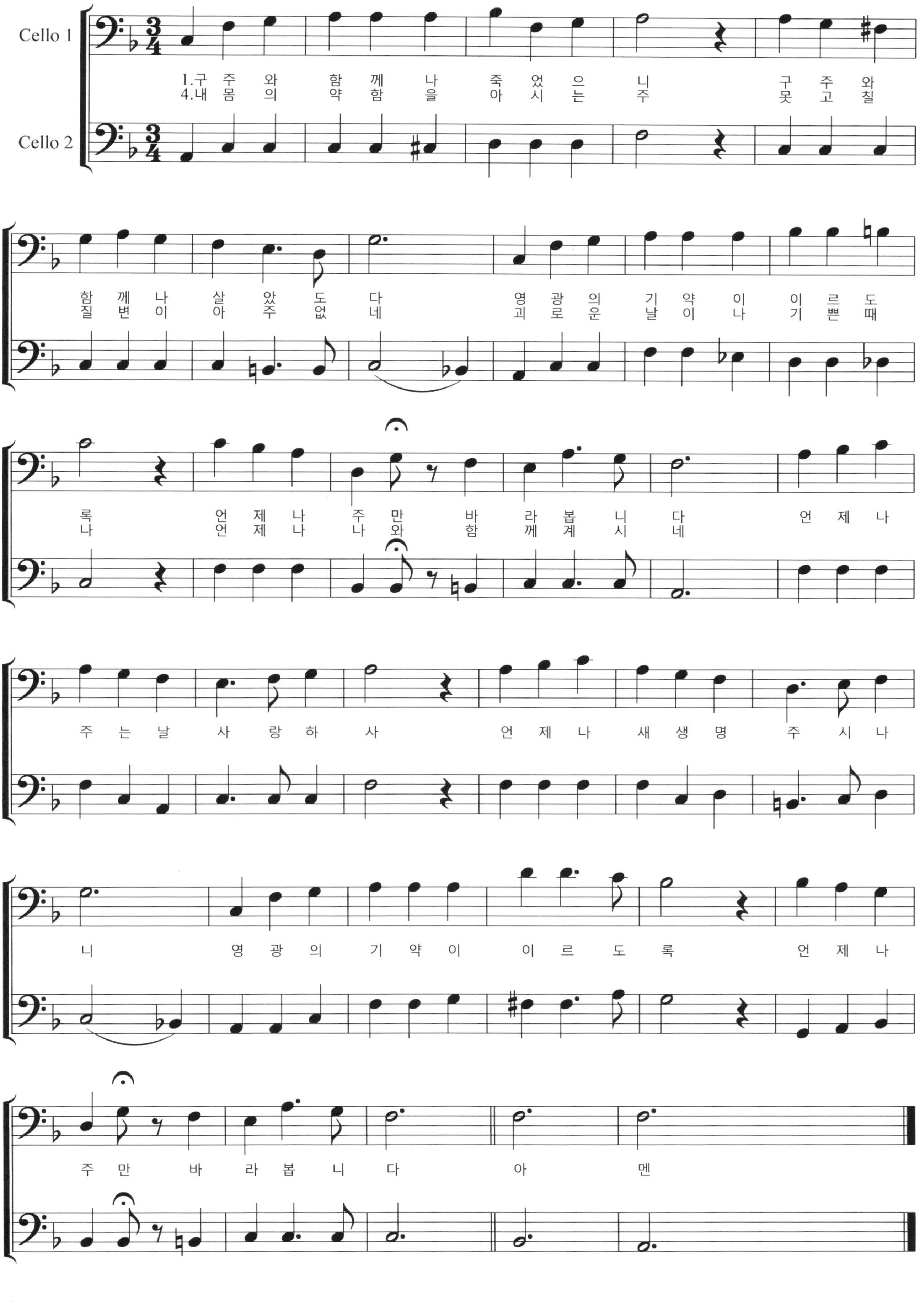

9. 귀하신 주여 날 붙드사(490. 새433장)

L.N.Morris/L.N.Morris. Arr. Leewangjae

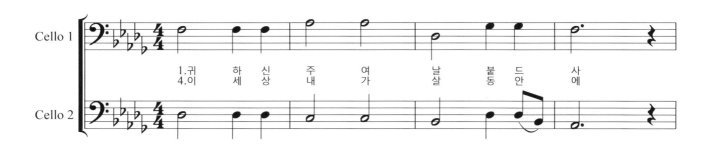

Cello 1

Cello 2

1.귀 하 신 주 여 가 날살 붙동 드 안 사에
4.이 세 상 내

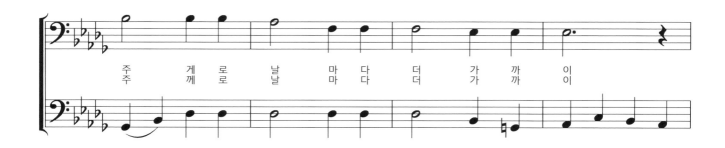

주 게 로 날 마 다 더 가 까 이
주 께 로 날 마 다 더 가 까 이

저 하 늘 나 라 나 올 들어 가 구 주 의
저 뵈 는 천 국 나 라 어 한 없 는

품 안 에 을 늘 다 안 얻 기 도 어 록 영 생 의
복 락 을 안 기 풍 성 한

복 은 받 기 원 합 니 다 아 멘
혜 를 비 나 이 다

10. 그 맑고 환한 밤중에(112. 새112장)

E.H.Sears/R.S.Willis. Arr. Leewangjae

1.그 맑 고 환 한 밤 중 에 뭇 천 사 내 려
4.옛 선 지 예 언 응 하 여 베 들 레 헴 성 중

와 그 손 에 비 파 들 고 서 다 찬 송 하 기 를 평저
에 주 예 수 탄 생 하 시 니 온 세 상 구 주 라

강 의 왕 이 오 시 니 다 평 안 하 여 라 그
천 사 기 쁜 노 래 를 또 다 시 부 르 니 온

소 란 하 던 세 상 이 다 고 요 하 도 다
세 상 사 는 사 람 들 다 화 답 하 도 다

11. 나 같은 죄인 살리신(405. 새305장)

Arr. E.O.Excell Arr. Leewangjae

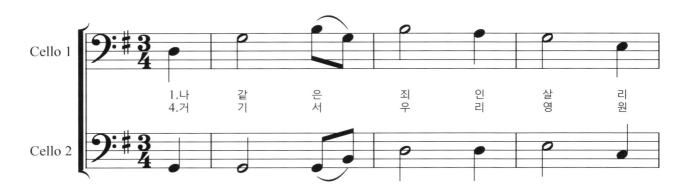

12. 나 어느날 꿈속을 헤매며(84. 새134장)

L.N.Morris. Arr. Leewangjae

Cello 1
Cello 2
1.나 어 느 날 꿈 속 을 헤 매 며 어 느 바 닷 가 거 닐
4.이 세 상 에 살 면 서 시 달 린 모 든 친 구 여 나 오
때 그 갈 릴 리 오 신 이 따 르 는 많 은 무 리 를 보 았
라 그 놀 라 운 은 혜 를 받 아 서 맘 의 평 안 을 얻 으
네 나 그 때 에 확 실 히 소 경 이 눈 을 뜨 는 것 보 았
라 나 주 께 서 명 하 신 복 음 을 힘 써 전 하 며 살 동
네 그 갈 릴 리 오 신 이 능 력 이 나 를 놀 라 게 하 였 네 내 가
안 그 갈 릴 리 오 신 이 내 맘 에 항 상 계 시 기 원 하 네 오 내
영 원 히 사 모 할 주 님 부 드 러 운 그 모 습 을 나
친 구 여 주 사 모 하 세 부 드 러 운 그 모 습 을 곧
뵈 옵 고 그 후 로 부 터 내 구 주 로 섬 겼 네
뵈 옵 고 오 늘 로 부 터 내 구 주 로 섬 기 세

13. 나 주를 멀리 떠났다(331. 새273장)

W.J.Kirkptrick. Arr. Leewangjae

Cello 1 / Cello 2

1.나 주 를 멀 리 떠 났 다
5.나 바 랄 것 이 무 언 가

이 제 옵 니 다 나 죄 의 길 에 아
우 리 주 예 수 날 위 해 돌 아

시 가 달 려 주 여 옵 니 다
가 심 만 믿 고 옵 니 다

나 이 제 왔 으 니 내 집 을 찾

아 주 여 나 를 받 으 사

맞 아 주 소 서

14. 나 주의 도움 받고자(349. 새214장)

E.H.Hamilton/I.D.Sankey. Arr. Leewangjae

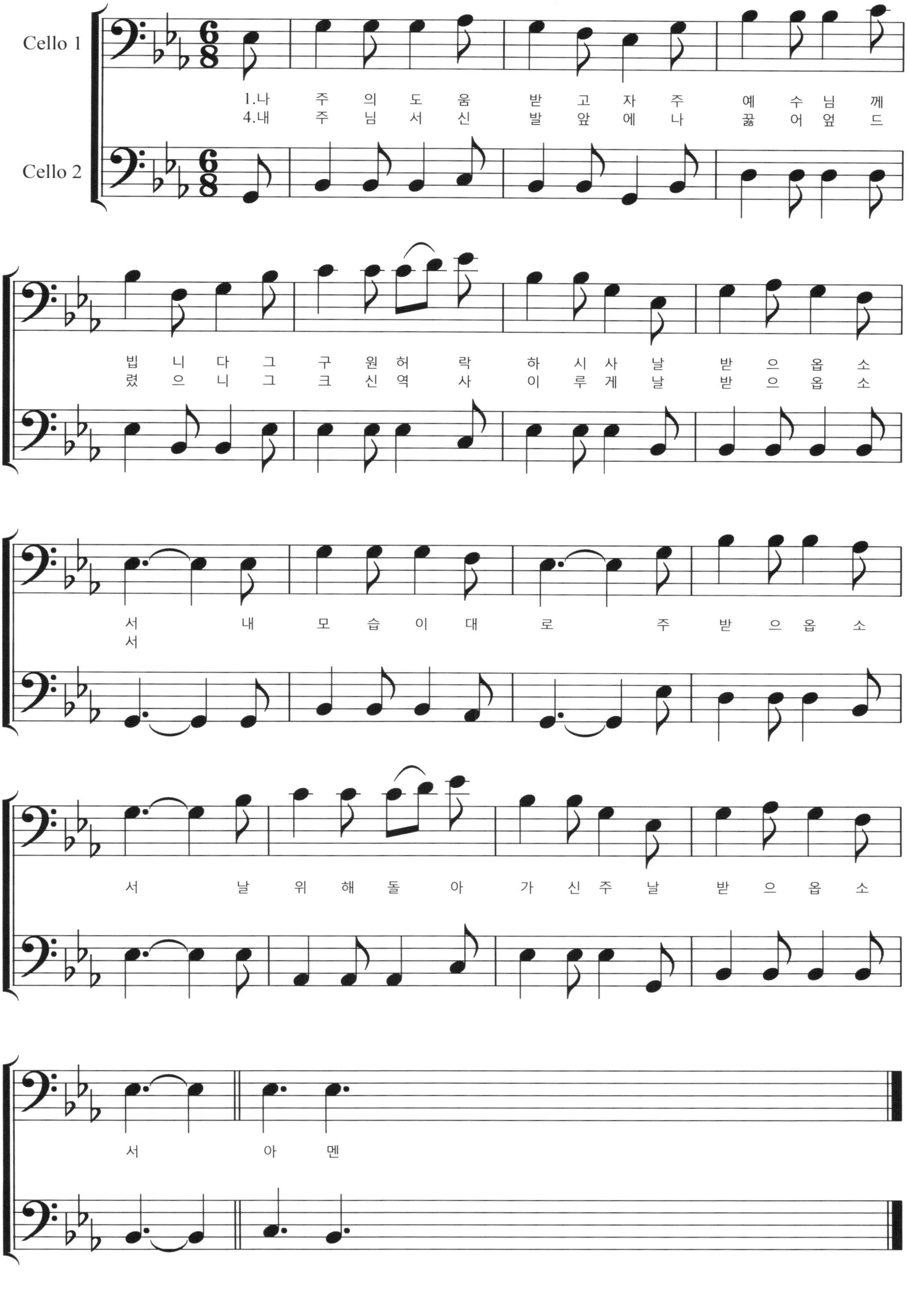

15. 나의 갈 길 다 가도록(434. 새384장)

F.J.Crosby/R.Lowry. Arr. Leewangjae

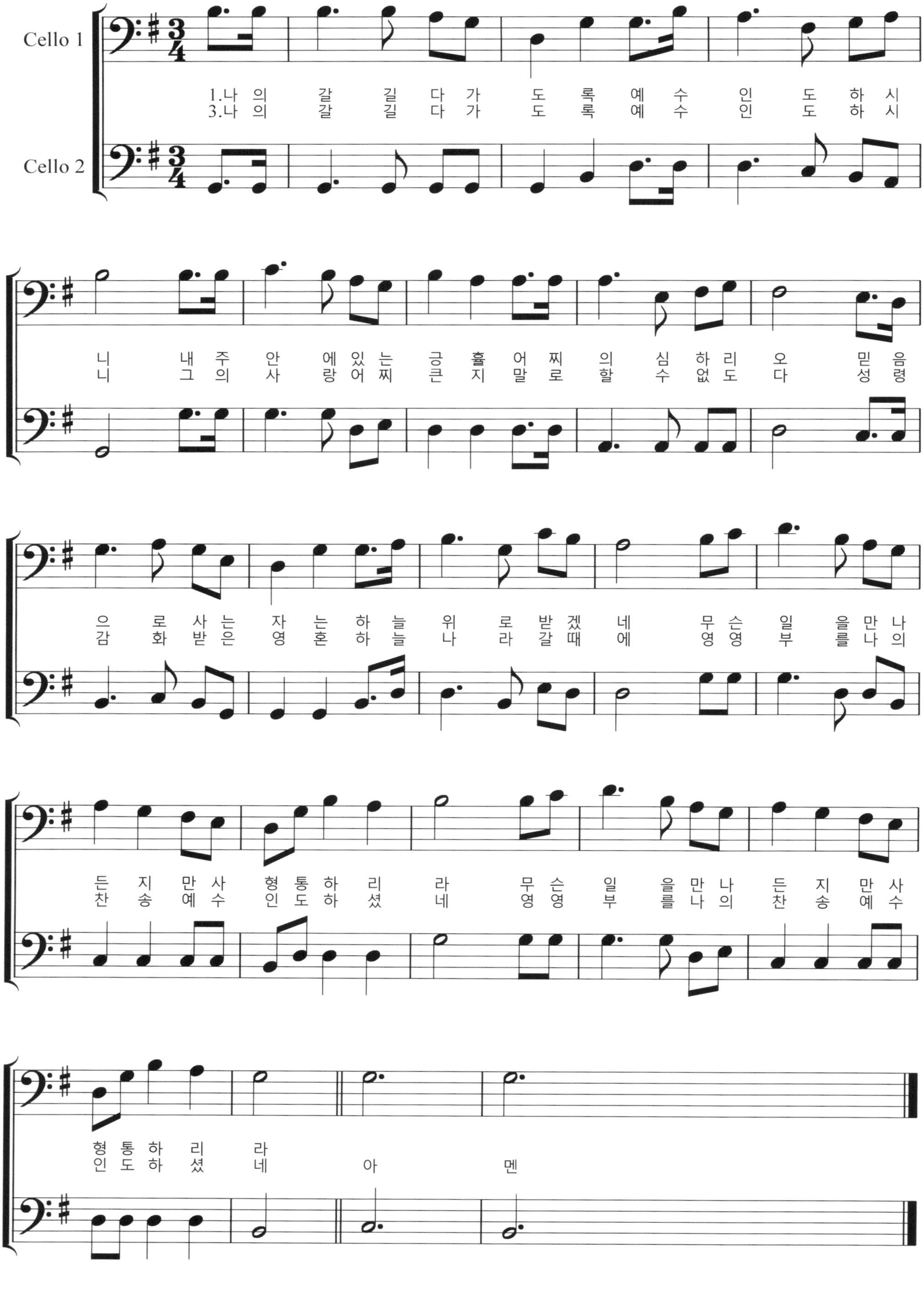

16. 나의 영원하신 기업(492. 새435장)

S.J.Vail. Arr. Leewangjae

Cello 1

1.나 의 영 원 하신 기 업 생 명 보 다 귀 하
3.어 둔 골 짝 지 나 가 며 험 한 바 다 건 너

Cello 2

다 나의 갈 길 다 가 도록 나와 동 행 하소 서 주 께
서 천국 문 에이르 도록 나와 동 행 하 소 서

로 가 까 이 주께 로 가오 니 나의 갈 길다 가

도 록 나와 동 행 하소 서 아 멘

17. 내 구주 예수를 더욱 사랑(511. 새314장)

E.P.Preatiss/W.H.Doane. Arr. Leewangjae

18. 내 기도하는 그 시간(482. 새364장)

W.B.Bradbury. Arr. Leewangjae

19. 내 너를 위하여(185. 새311장)

F.R.Havergal/P.P.Bliss. Arr. Leewangjae

Cello 1

Cello 2

1.네 너 를 위 하 여　　몸 버 려 피 흘
4.한 없 는 용 서 와　　참 사 랑 가 지

려　네 죄 를 속 하 여　　살 길 을 주 었
고　세 상 에 내 려 와　　값 없 이 주 었

다　너 위 해 몸 을 주 건 만 날 무 엇 주 느 냐　　너
다　이 것 이 귀 중 하 건 만 날 무 엇 주 느 냐　　이

위 해 몸 을 주 건 만 날 무 엇 주 느 냐
것 이 귀 중 하 건 만 날 무 엇 주 느 냐

20.내 맘이 낙심되며(406. 새300장)

J.B.Evans. Arr. Leewangjae

Cello 1
Cello 2
1.내 맘 이 낙 심 되 며 근 심 에 눌 릴 때
3.번 민 이 가 득 차 고 눈 물 이 흐 를 때
주 께 서 내 게 오 사 위 로 해 주 시 네 가 는 길 캄 캄
주 나 의 곁 에 오 사 용 기 를 주 시 네 환 난 이 닥 쳐
하 고 괴 로 움 많 으 나 주 께 서 함 께 하 며
와 서 슬 픔 에 잠 길 때 주 님 의 능 력 입 어
내 짐 을 지 시 네 그 은 혜 가 내 게 족 하 네 그 은 혜 가 족 하
원 수 를 이 기 네
네 이 괴 로 운 세 상 지 날 때 그 은 혜 가 족 하 네

21. 내 모든 시험 무거운 짐을(363. 새337장)

363장 통일찬송가

E.A.Hoffman. Arr. Leewangjae

22. 내 영혼의 그윽히 깊은 데서(469. 새412장)

W.P.Cornell/W.G.Cooper. Arr. Leewangjae

23. 내 영혼이 은총입어(495. 새438장)

C.F.Butler/J.M.Black. Arr. Leewangjae

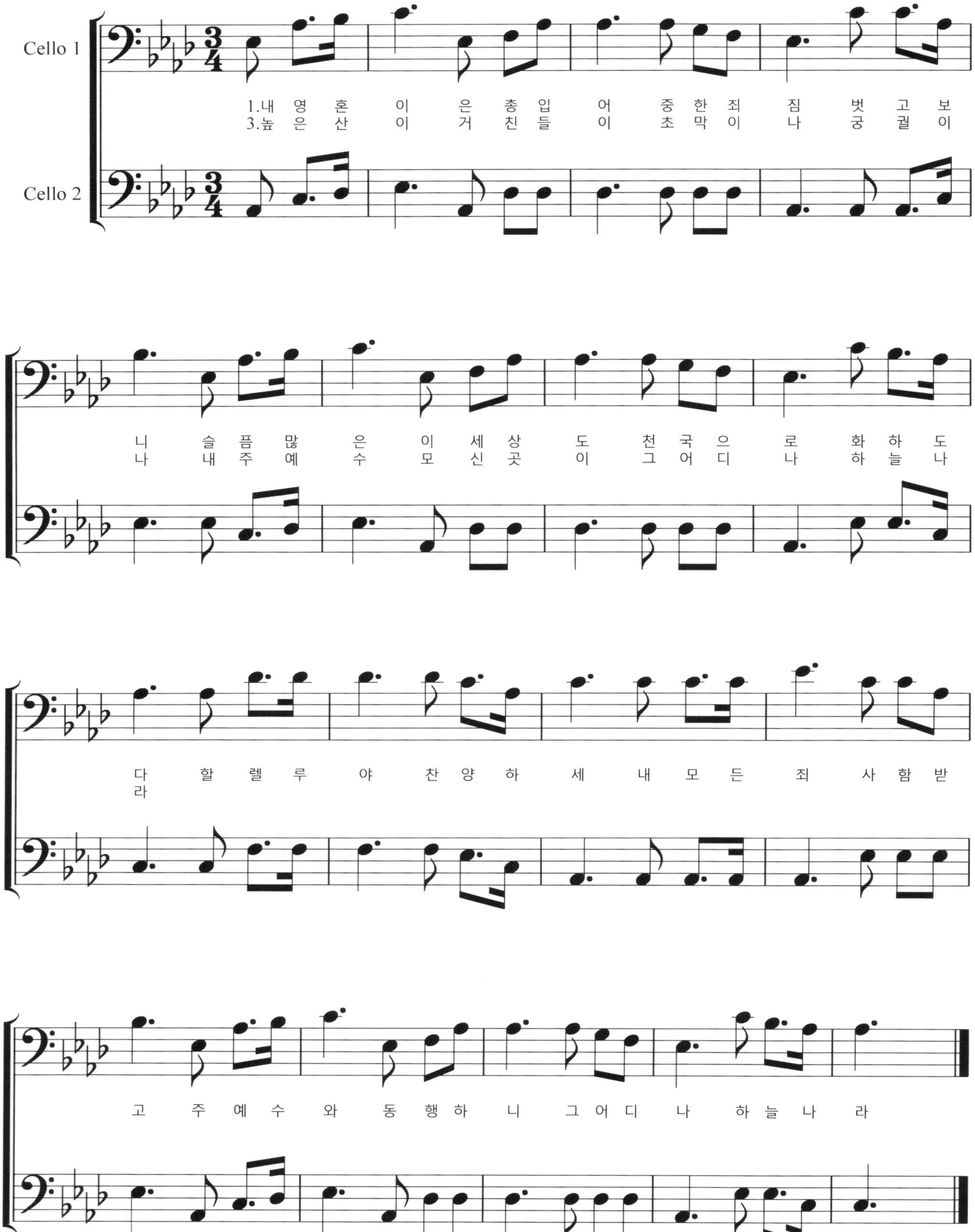

24. 내 주 되신 주를 참 사랑하고(512. 새315장)

W.R.Featherstone/A.J.Gordon. Arr. Leewangjae

Cello 1

Cello 2

1.내 주 되신 주를 참 사 랑 하
4.큰 영 광의 구 주 날 사 랑 하

고 곧 그 에게 죄를 다 고 하 리
사 그 풍 성한 은 혜 더 하 시 리

라 니 큰 은 혜를 주 신 내 예 수 시
니 금 면 류관 쓰 고 늘 찬 송 할

니 이 전 보다 더 욱 사 랑 합 니 다
말 이 전 보다 더 욱 사 랑 합 니 다

25. 내 주는 강한 성이요(384. 새585장)

F.W.Faber/H.F.Hemy. Arr. Leewangjae

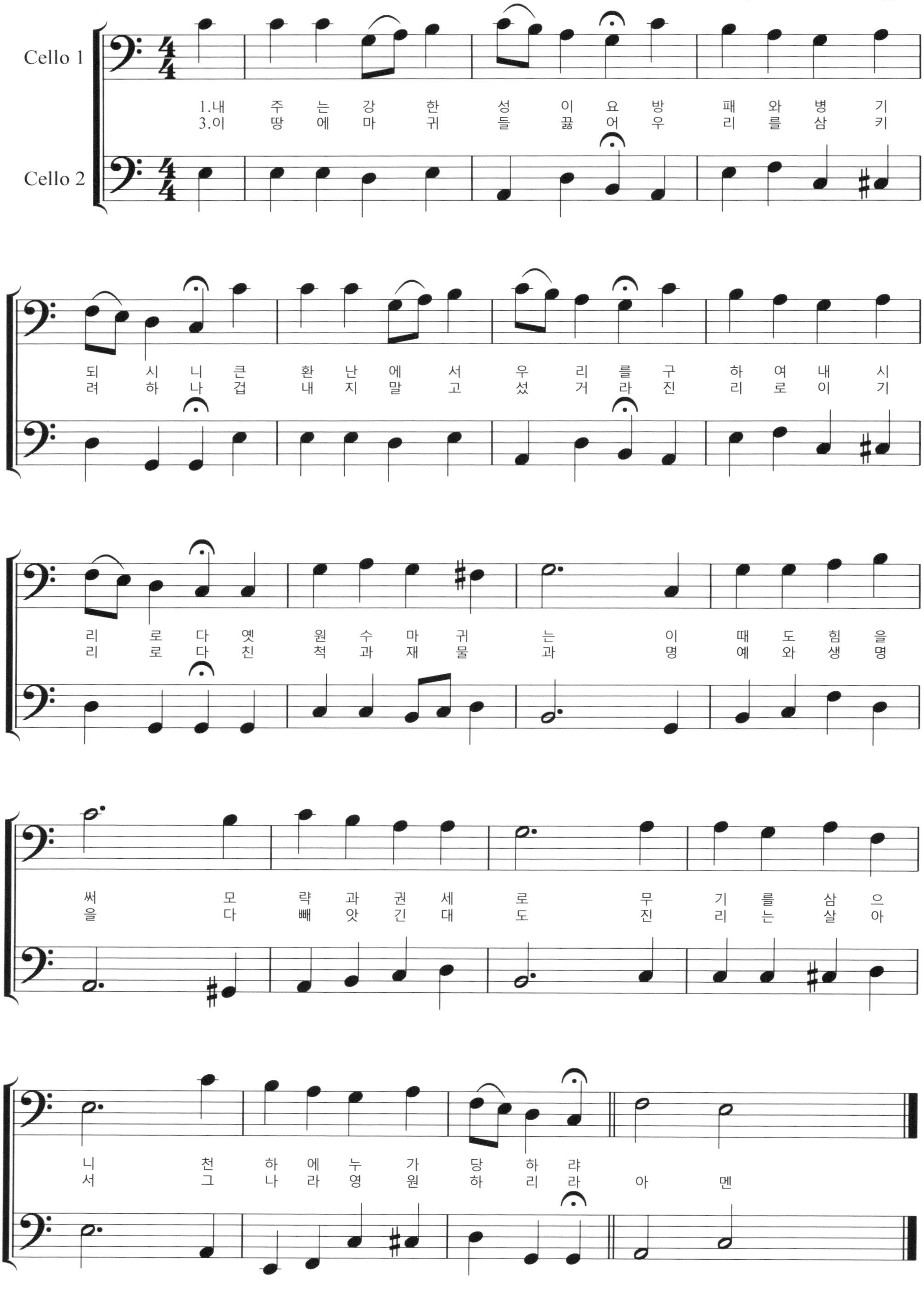

26. 내 주는 살아계시고(16. 새170장)

16장 통일찬송가

C.Wesley/G.F.Handel. Arr. Leewangjae

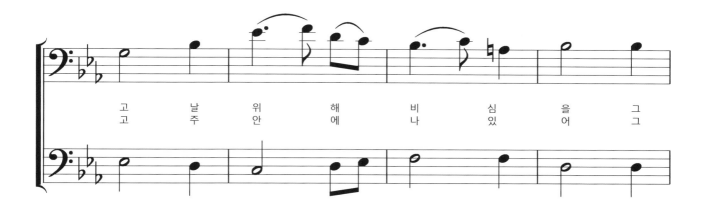

27. 내 주를 가까이 하게 함은(364. 새338장)

S.F.Adams/L.Mason. Arr. Leewangjae

Cello 1
Cello 2

1.내 주를 가 까 이 하 게 함 은
4.야 곱 이 잠 깨 어 일 어 난 후

십 자 가 짐 같 은 것 고 본 생 이 나
돌 단 을 쌓 은 것 본 받 아 서

내 일 생 소 원 은 늘 찬 송 하 면 서 주 께 더
숨 질 때 되 도 록 늘 찬 송 하 면 서

나 가 기 원 합 니 다 아 멘

28. 내 주여 뜻대로(431. 새549장)

C. M. von Weber/B. Schmolck. Arr. Leewangjawe

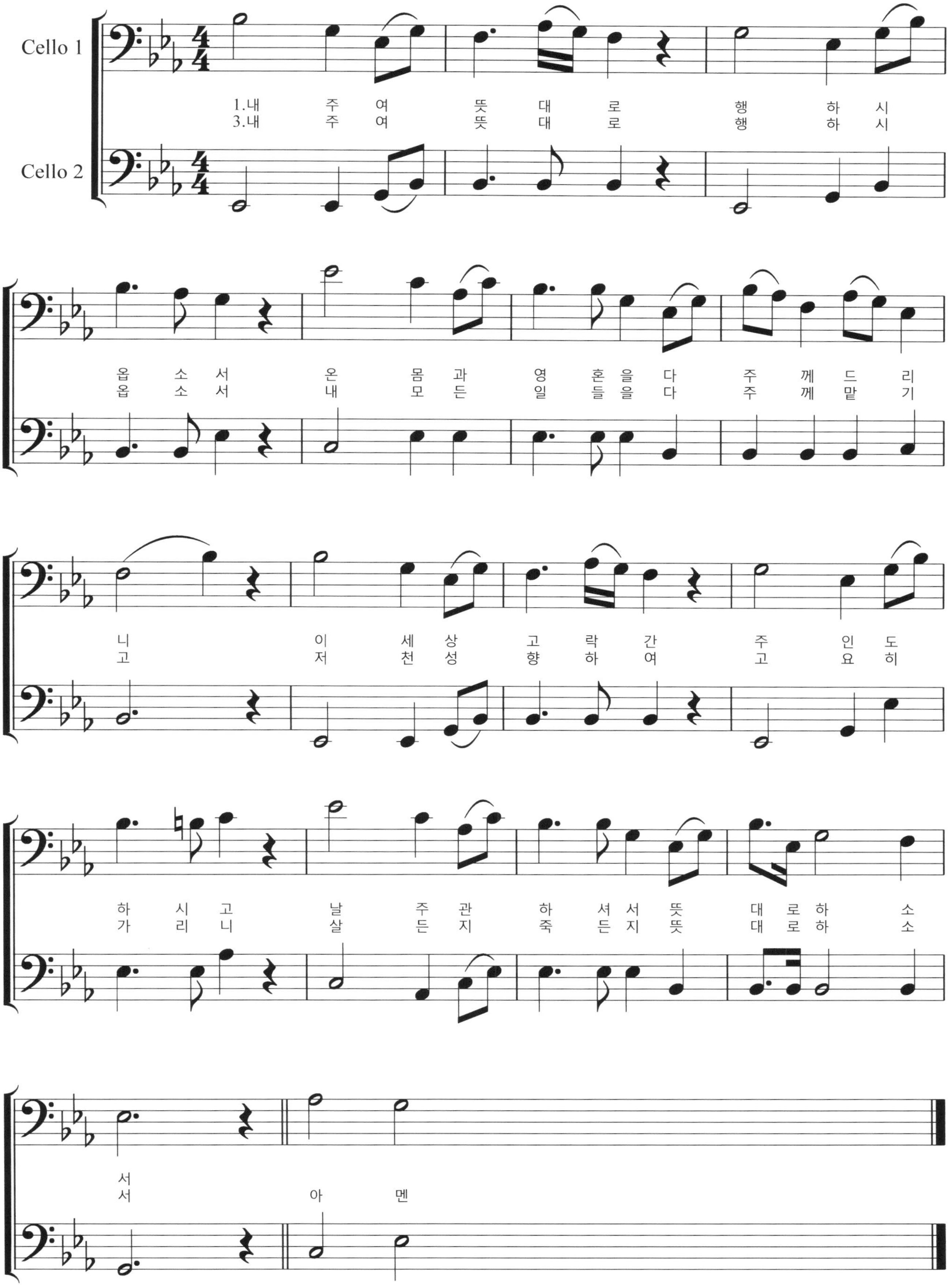

29. 내 주의 보혈은(186. 새254장)

L.Hartsough. Arr. Leewangjae

Cello 1
Cello 2
1.내 주 의 보 혈 은 정 하 고 정 하
5.그 피 가 맘 속 에 큰 증 거 됩 니
다 내 죄 를 정 케 하 신 주 날 오 라 하 신 다
다 내 기 도 소 리 들 으 사 다 허 락 하 소 서
내 가 주 께 로 지 금 가 오 니 골 고 다 의
보 혈 로 날 씻 어 주 소 서 아 멘

30. 내 진정 사모하는(88.새88장)

C.W.Fry. Arr. Leewangjae
Cello 1
Cello 2
1.내 진 정 사 모 하 는 친 구 가 되 시 는 구 주
3.내 맘 을 다 하 여 서 주 님 을 따 르 면 길 이
예 수 님 은 아 름 다 와 라 산 밑 의 백 합 화 요 빛
길 이 나 를 사 랑 하 리 니 물 불 이 두 렵 잖 고 창
나 는 새 벽 별 주 님 형 언 할 길 아 주 없 도 다 내
검 이 겁 없 네 주 는 높 은 산 성 내 방 패 시 라 내
맘 이 아 플 적 에 큰 위 로 되 시 며 나 외 로 울 때 좋 은 친 구
영 혼 먹 이 시 는 그 은 혜 누 리 고 나 친 히 주 를 뵙 기 원 하
라
네 주 는 저 산 밑 에 백 합 빛 나 는 새 벽 별 이 땅
위 에 비 길 것 이 없 도 다 아 멘

31. 내 평생에 가는 길(470. 새413장)

H.G.Spafford/P.P.Bliss. Arr. Leewangjae

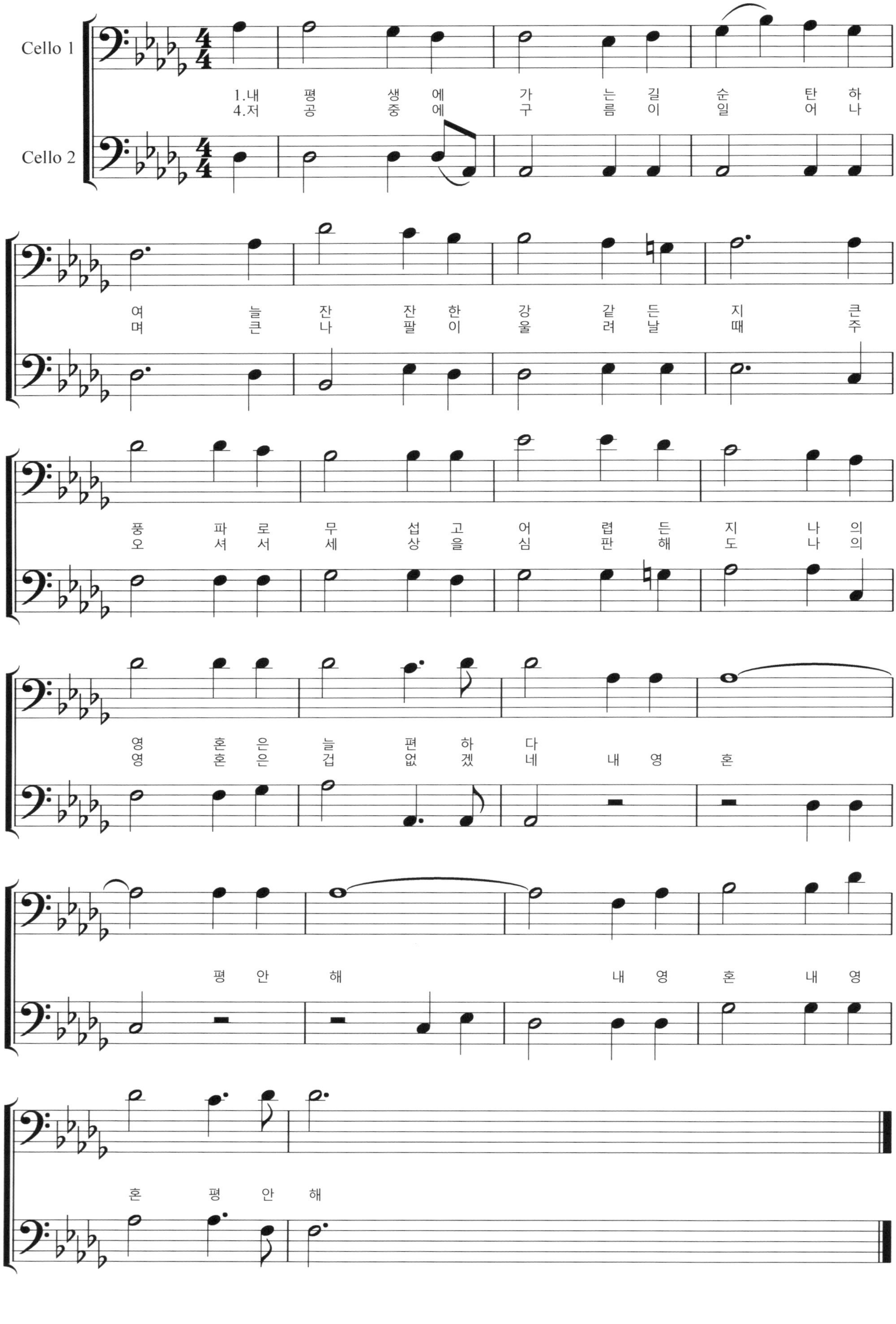

32. 너 근심 걱정 말아라(432. 새382장)

W.S.Martin. Arr. Leewangjae

Cello 1
1.너 근 심 걱 정 말 아 라 주 너 를 지 키
4.어 려 운 시 험 당 해 도 주 너 를 지 키
Cello 2

리 주 날 개 밑 에 거 하 라 주 너 를 지 키
리 구 주 의 품 에 거 하 라 주 너 를 지 키

리 주 너 를 지 키 리 아 무 때 나 어 디 서 나
리

주 너 를 지 키 리 늘 지 켜 주 시 리(너를) 아 멘

33. 너 시험을 당해(395. 새342장)

395장 통일찬송가

H.R.Palmer. Arr. Leewangjae

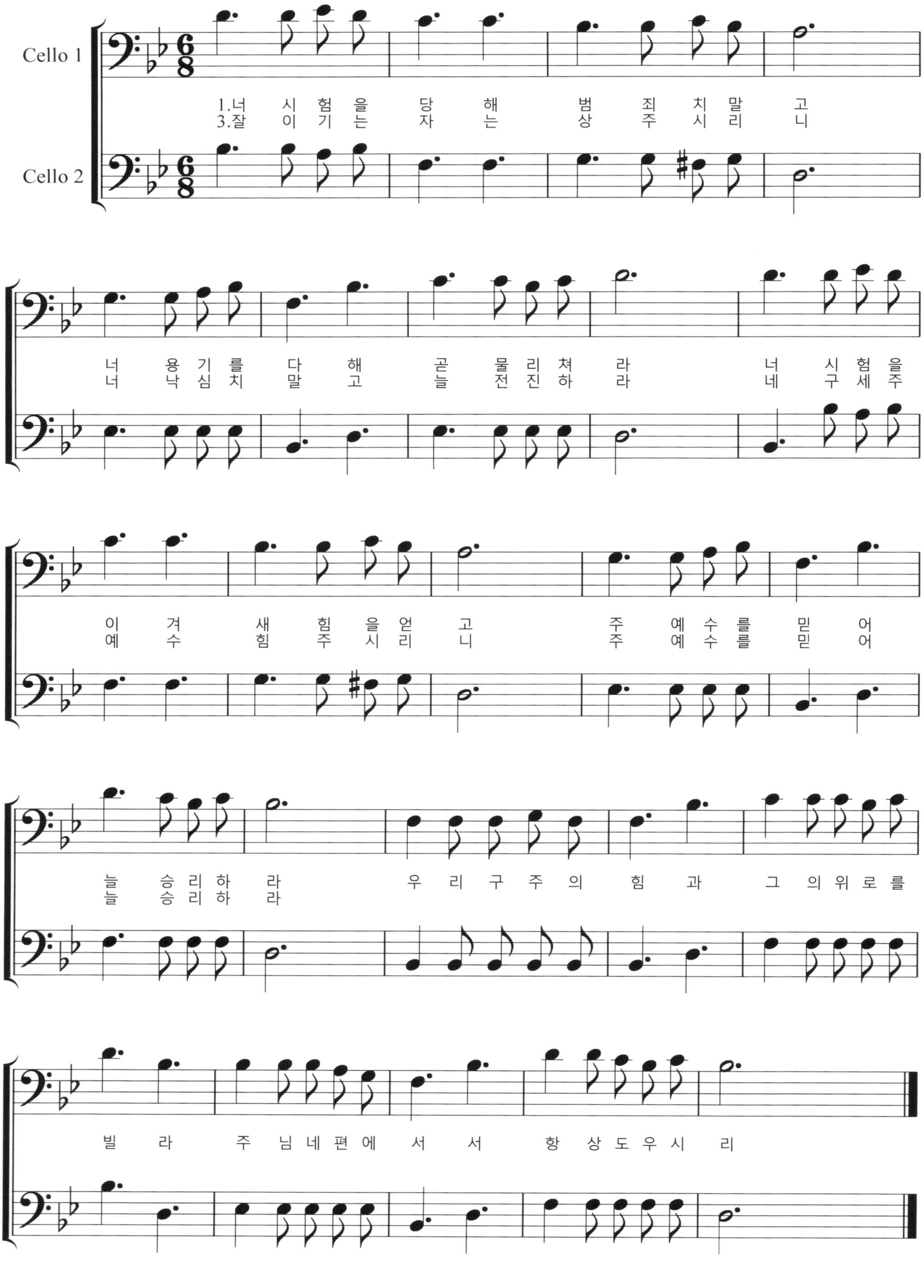

34. 너 예수께 조용히 나가(483. 새539장)

E.E.Hewitt/W.J.Kirkpatrick. Arr. Leewangjae

35. 네 병든 손 내밀라고(530. 새472장)

A.B.Simpson/A.B.Simpson. Arr. Leewangjae

Cello 1
Cello 2

1,네 병든 손 내밀라 고 주 예수 님 말씀하 네 그 말씀
3.모든 의심 물리치 면 허약한 맘 사라지 니 주를 믿

을 굳 게 믿 고 병든 손 을 내밀어 라 옛 날같 이 오늘 날
는 마 음 으 로 주 님 앞 에 손 내밀 라 주 예수 는 오자 비 하

도 주 권 능 이 크 시 오 니 전 능 하 신 권 능 으 로 만 백 성
사 크 신 사 랑 베 푸 시 니 지 체 말 고 믿 는 자 는 영 생 복

을 구 원 하 네 네 병든 손 내 밀 어 라 주 예수
을 받 으 리 라

님 고 치 시 리 네 병 든 손 내 밀 어

라 주 님 고 치 시 리 라

36. 때 저물어 날 이미 어두니(531. 새481장)

W. H. Monk Arr. Leewangjae

Cello 1
Cello 2
1.때 저 물 어 날 이 미 어 두
4.이 육 신 쇠 해 눈 을 감 을
니 구 주 여 나 와 함 께 하 소
때 십 자 가 밝 히 보 여 주 소
서 내 친 구 나 를 위 로 못 할
서 내 모 든 슬 픔 위 로 하 시
때 날 돕 는 주 여 함 께 하 소
고 생 명 의 주 여 함 께 하 소
서
서 아 멘

37. 마음속에 근심 있는 사람(484. 새365장)

J.E.Rankin/E.S.Lorenz. Arr. Leewangjae

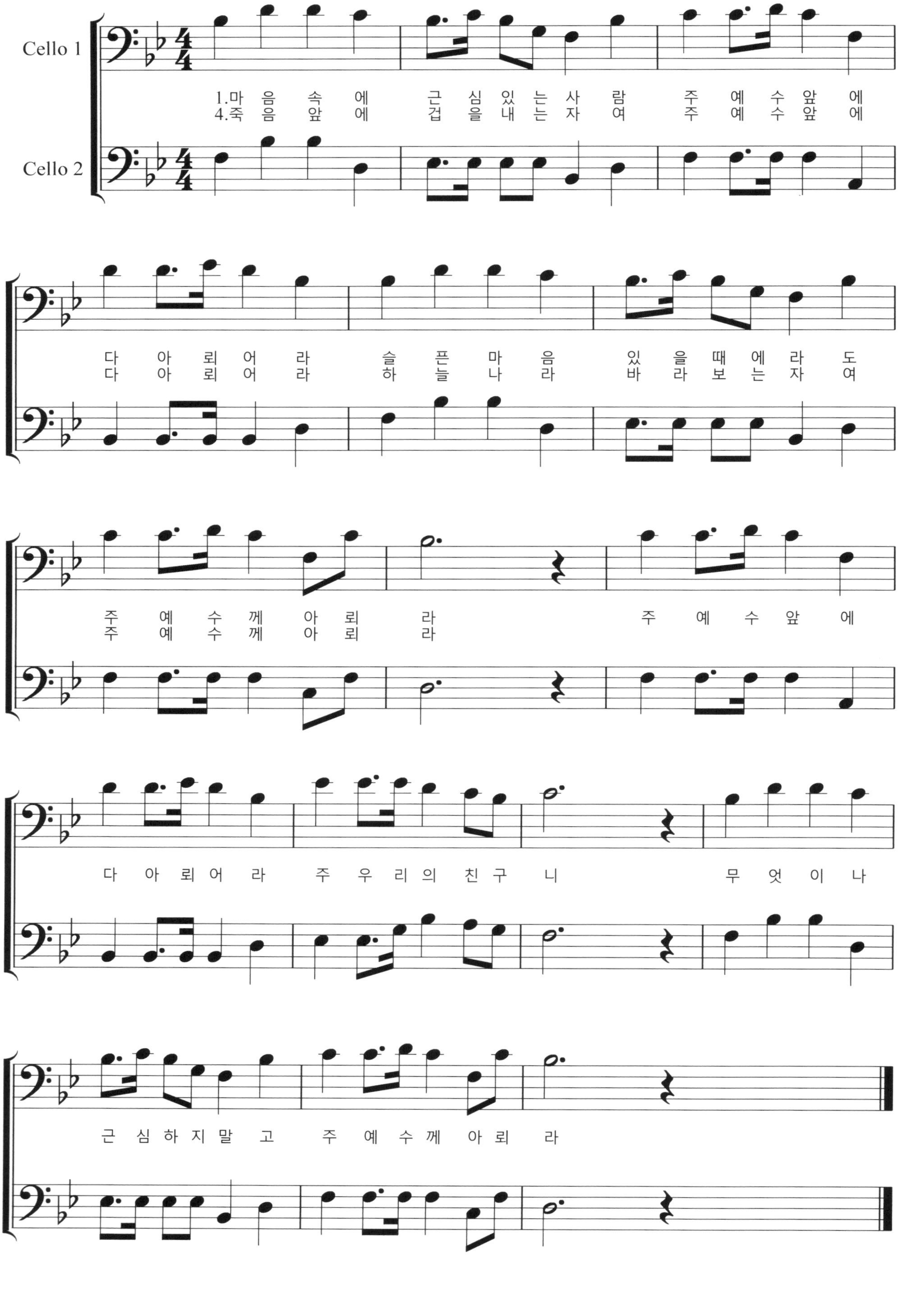

38. 멀리 멀리 갔더니(440. 새387장)

W.G.Fischer. Arr. Leewangjae

Cello 1

1.멀 리 멀 리 갔 더 니 처 량 하 고 곤 하
3.다 니 다 가 쉴 때 에 쓸 쓸 한 곳 만 나

Cello 2

며 슬 프 고 또 외 로 와 정 처 없 이 다 니 니 예 수
도 홀 로 있 게 마 시 고 주 여 보 호 하 소 서

예 수 내 주 여 지 금 내 게 오 셔 서 떠 나 가 지 마 시

고 길 이 함 께 하 소 서 아 멘

39. 목마른 내 영혼(409. 새309장)

H. L. Gilmour. Arr. Leewangjae

Cello 1
Cello 2
1.목 마 른 내 영 혼 주 가 이 미 허 락 한 그 귀 한 생 명 수 주 여
4.그 차 고 넘 치 는 주 의 은 혜 의 물 결 힘 차 게 밀 려 와 내 게
갈 망 합 니 다 그 약 속 따 라 서 힘 써 간 구 하 오 니 오
만 족 하 오 니 오 할 렐 루 야 로 주 를 찬 송 하 오 니 내
주 여 내 기 도 어 서 들 어 주 소 서
맘 에 기 쁨 이 항 상 충 만 함 이 라 예 수 의 사 랑
예 수 의 사 랑 바 다 물 결 같 이 내 게 임 하 니 영
광 의 물 결 에 온 전 히 싸 여 서 내 영 혼 의 기 쁨 한 량 없 도 다

40. 믿는 사람들은 군병 같으니(389. 새351장)

S.B.Gould/A.S.Sullivan. Arr. Leewangjae

41. 변찮는 주님의 사랑과(214. 새270장)

S.F.Bennett/J.P.Webster. Arr. Leewangjae

42. 빛나고 높은 보좌와(27. 새27장)

S.Stennett/T.Hastings. Arr. Leewangjae

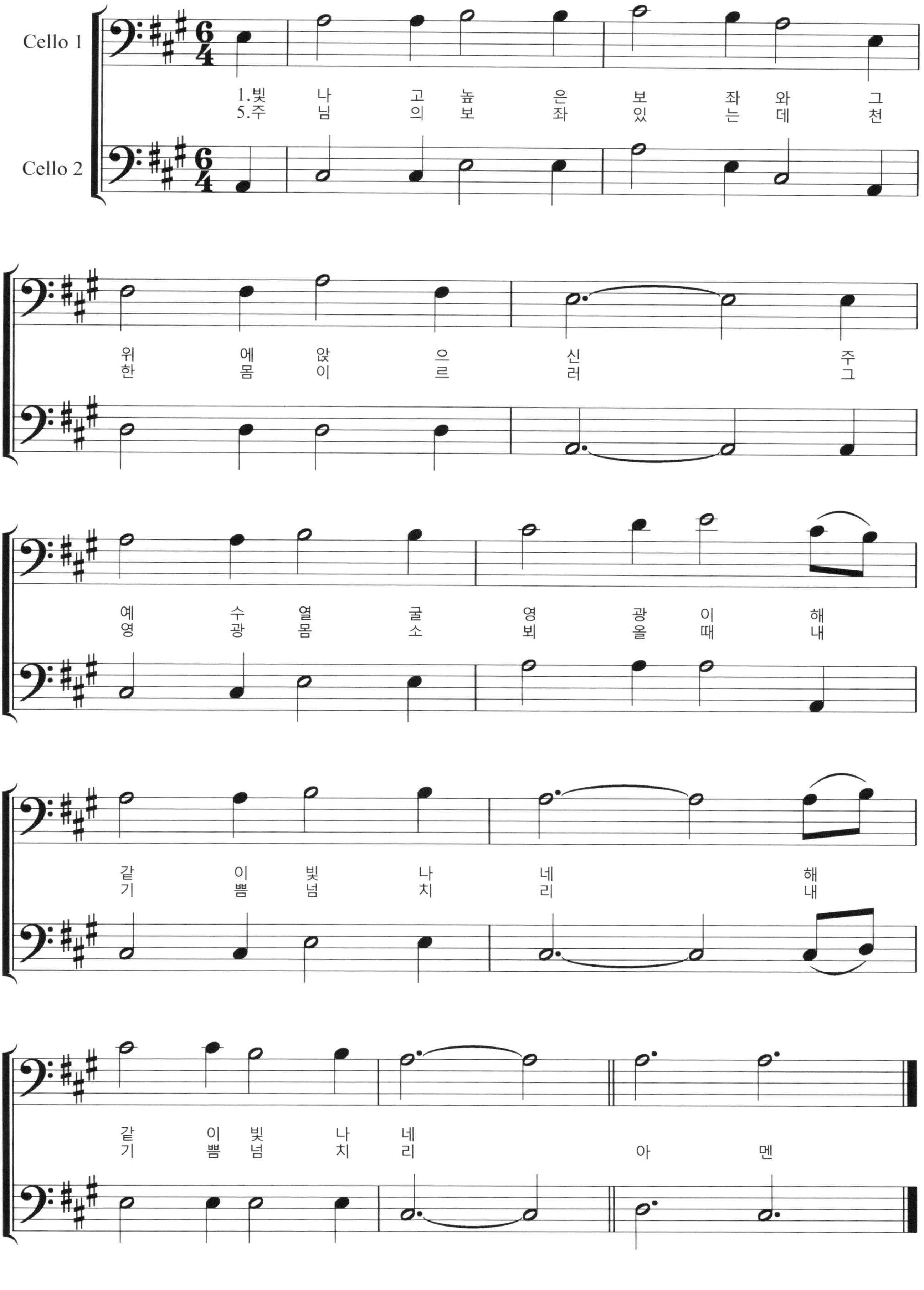

43. 샘물과 같은 보혈은(190. 새258장)

190장 통일찬송가

W.cowper/Arr.by L.Moson. Arr. Leewangjae

44. 선한 목자 되신 우리 주(442. 새569장)

D.A.Thrupp/W.B.Bradbury. Arr. Leewangjae

45. 성령이여 강림하사(177. 새190장)

E.H.Stokes/J.R.sweney. Arr. Leewangjae

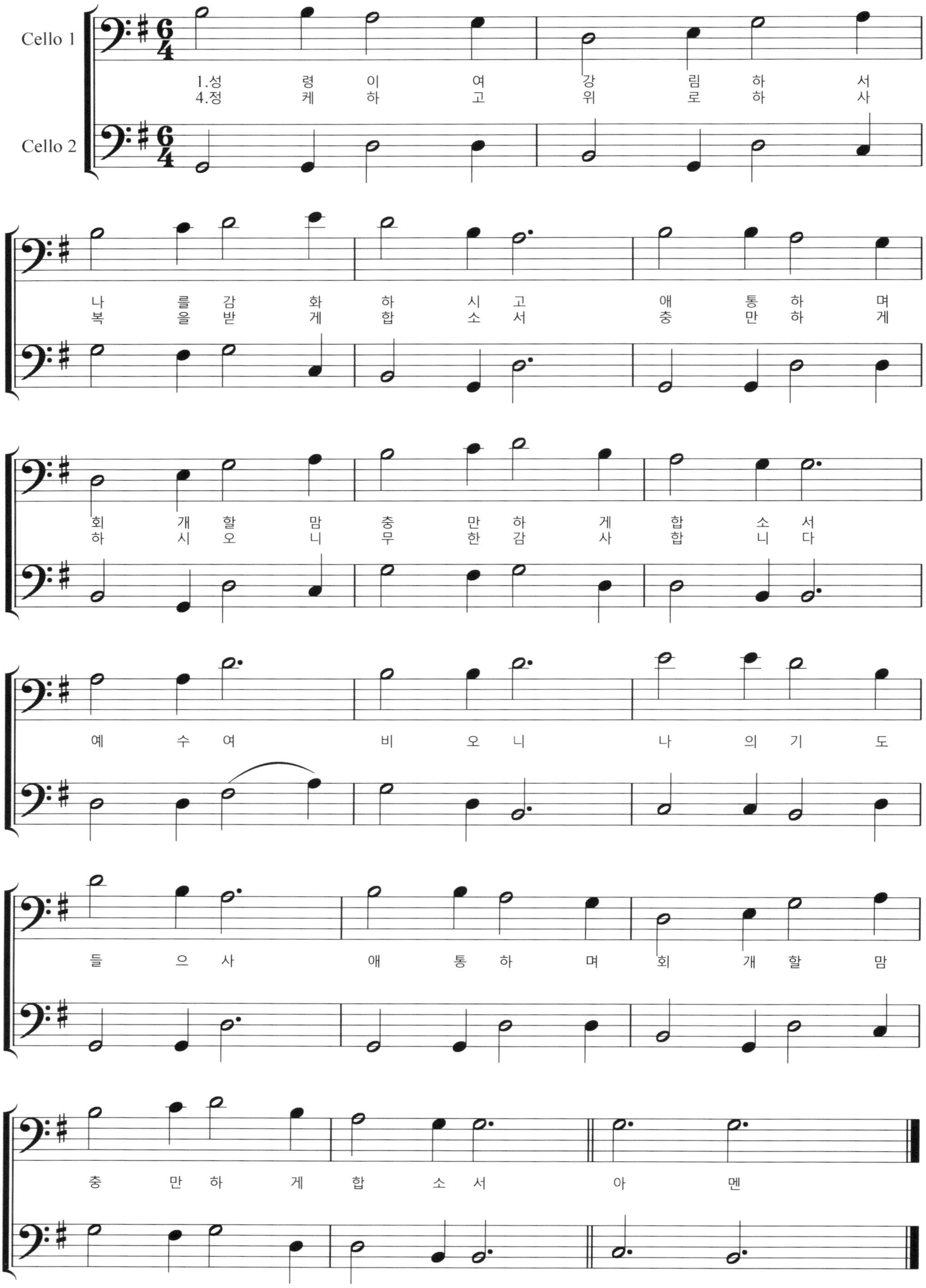

46. 성자의 귀한 몸(356. 새216장)

S.D.Phelps/R.Lowry. Arr. Leewangjae

1.성 자 의 귀 한 몸 날 위 하 오
4.만 가 지 은 혜 를 받 았 으

여 버 리 신 그 사 랑 고 마 와
니 내 평 생 슬 프 나 즐 거 우

라 내 머 리 을 주 앞 에 조 아 려
나 이 몸 을 온 전 히 주 님 께

하 는 말 나 무 엇 주 님 께 바 치 리
바 쳐 서 주 님 만 위 하 여 늘 살 겠

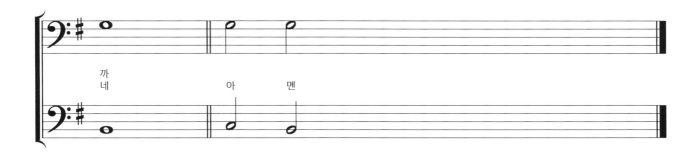

까 아 멘
네

47. 슬픈 마음 있는 사람(91. 새91장)

L.Baxter/W.H.Doane. Arr. Leewangjae

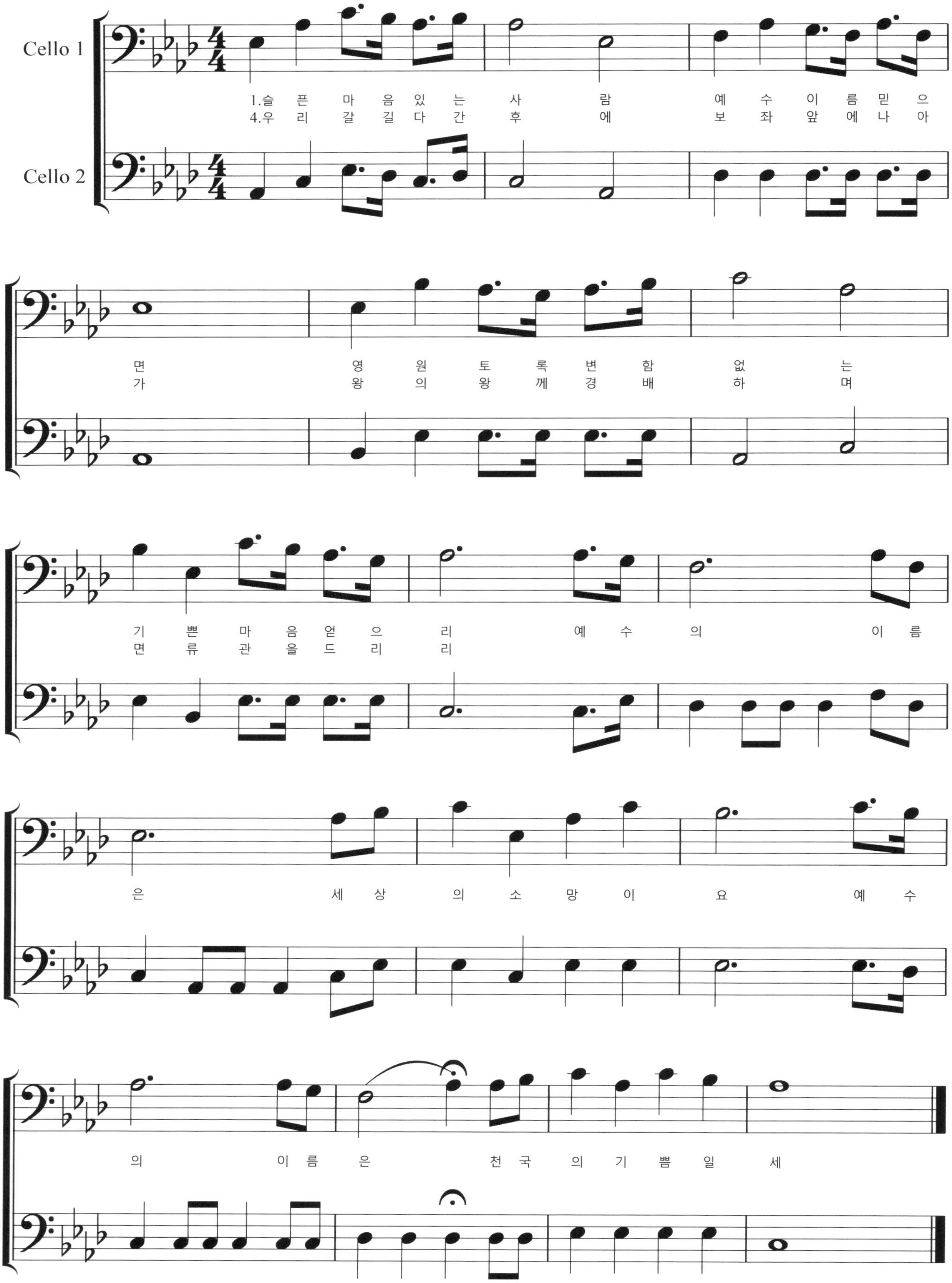

48. 십자가로 가까이(496. 새439장)

예수 나를 위하여(144. 새144장)

F.J.Crosby/W.H.Doane. Arr. Leewangjae

Cello 1
Cello 2

1.4십 자 가 로 가 까 이 나 를 이 끄 시 고
1.4예 수 나 를 위 하 여 십 자 가 를 질 때

거 기 흘 린 보 혈 로 정 테 하 옵 소 서
세 상 죄 를 지 시 고 고 초 당 하 셨 네

십 자 가 여 십 자 가 여 무 한 영 광 일 세 요 단 강 을
예 수 여 예 수 여 나 의 죄 위 하 여 보 배 피 를

건 넌 후 무 한 영 광 일 세 아 멘
흘 리 니 죄 인 받 으 소 서 아 멘

49. 아 하나님의 은혜로(410. 새310장)

D.W.Whittle/J.McGranahan. Arr. Leewangjae

50. 아침 해가 돋을 때(358. 새552장)

Anonymous. Arr. Leewangjae

Cello 1

Cello 2

1.아 침 해 가 돋 을 때 만 물 신 선 하 여
4.밤 낮 주 를 위 하 여 몸 과 맘 을 드 리

라 나 도 세 상 지 날 때 햇 빛 되 게 하 소 서 주 여
고 주 의 사 랑 나 타 내 햇 빛 되 게 하 소 서

나 를 도 우 사 세 월 허 송 않 고 서 어 둔 세 상 지 낼

때 햇 빛 되 게 하 소 서 아 멘

51. 양 아흔 아홉 마리는(191. 새297장)

I.D.Sankey. Arr. Leewangjae

1.양 아 흔 아 홉 마 리 는 우 리 에 있 으
5.저 목 자 기 쁨 넘 쳐 서 큰 소 리 외 치

나 한 내 마 리 양 은 떨 어 져 길 잃 고 헤 매
며 내 잃 은 양 을 찾 았 다 다 기 뻐 하 여

네 산 저 높 고 길 은 험 한 데 목 자 를 멀 리
라 저 천 사 화 답 하 는 말 그 양 을 찾 으

떠 났 네 목 자 를 멀 리 떠 났 네
셨 도 다 그 양 을 찾 으 셨 도 다

52. 어둔밤 쉬 되리니(370. 새330장)

A.L.Coghil/L.Mason. Arr. Leewangjae

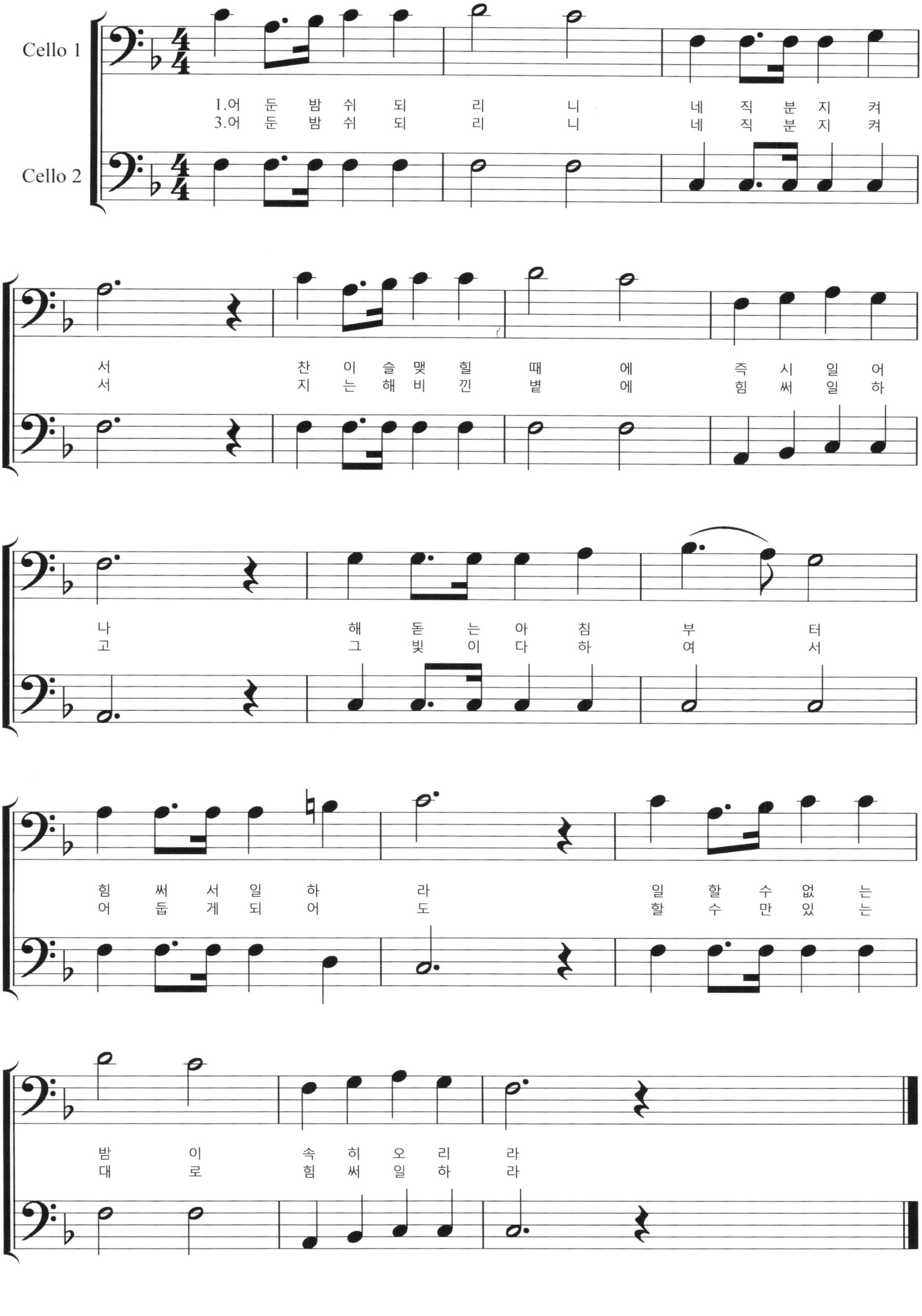

53. 어디든지 예수 나를 이끌면(497. 새440장)

J.B.Pounds/D.B.Towner. Arr. Leewangjae

54. 어려운 일 당할때(342. 새543장)

E.P.stites/I.D.Sankey. Arr. Leewangjae

1.어려운일 당할때 나의믿음 적으나
4.생명있을 동안에 예수의지 합니다

의지하는 내주를 더욱의지 합니다
천국올라 가도록 의지할것 뿐일세

세월지나 갈수록 의지할것 뿐일세

아무일을 만나도 예수의지 합니다

55. 여러 해 동안 주 떠나(336. 새278장)

R.Lowry/R.Lowry. Arr. Leewangjae

Cello 1 / Cello 2

1.여러 해 동안 주 떠나 세상 연락을 즐기고 저그
4.미련한 우리 인생은 주의 공로를 모르고 그

흉악한 죄에 빠져서 그 은혜를 잊었었네 오
쓸쓸한 사막 가운데 늘 헤메고 다녔네 네

사랑의 예수님 내 맘을 곧 엽니다 곧

들어와 나와 동거하며 내 생명이 되소서 아멘

56. 예수가 함께 계시니(359. 새325장)

C.F.Weigele/C.F.Weigele. Arr. Leewangjae

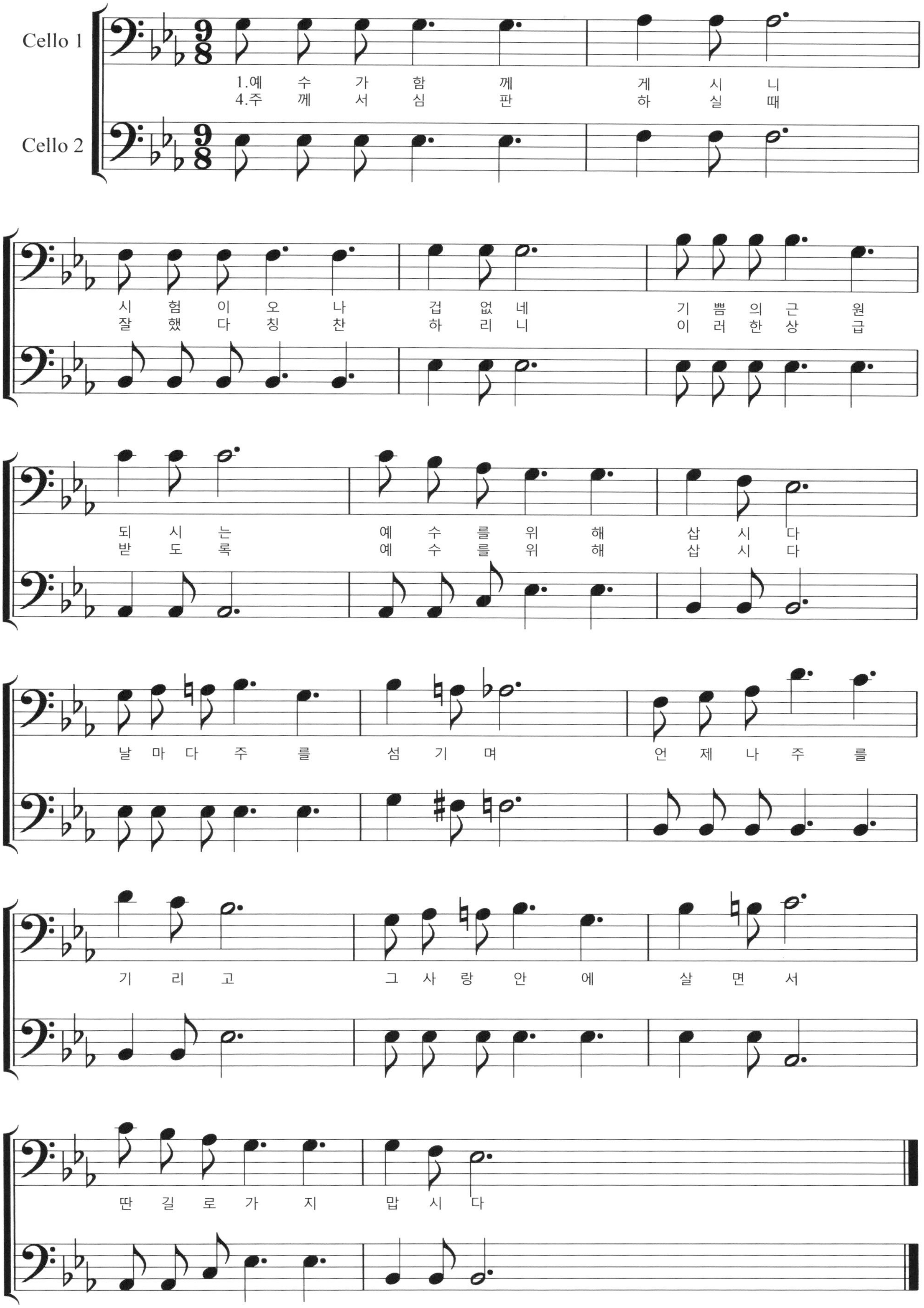

57. 예수는 나의 힘이요(93. 새93장)

W.L.Tompson/W.L.Tompson. Arr. Leewangjae

1.예 수 는 나 의 힘 이 요 내 생 명 되 시
4.예 수 는 나 의 힘 이 요 내 소 망 되 시

니 구 주 예 수 떠 나 가 면 죄 중 에 빠 지
니 이 세 상 을 떠 나 갈 때 곧 영 생 얻 으

리 눈 물 이 앞 을 가 리 고 내 맘 에 근 심
리 한 없 는 복 을 주 시 고 영 원 한 기 쁨

쌓 일 때 위 로 하 고 힘 주 실 이 주 예 수
주 시 니 나 의 생 명 나 의 기 쁨 주 예 수

58. 오 놀라운 구세주 예수 내 주(446. 새391장)

F.J.Crosby/W.J.Kirkpatrick. Arr. Leewangjae

59. 오 신실하신 주(447. 새393장)

T.O.Chisholm/W.M.Runyan. Arr.Leewangjae

60. 우리 다시 만날 때까지(524. 새222장)

J.E.Rankin/W.G.Tomer. Arr. Leewangjae

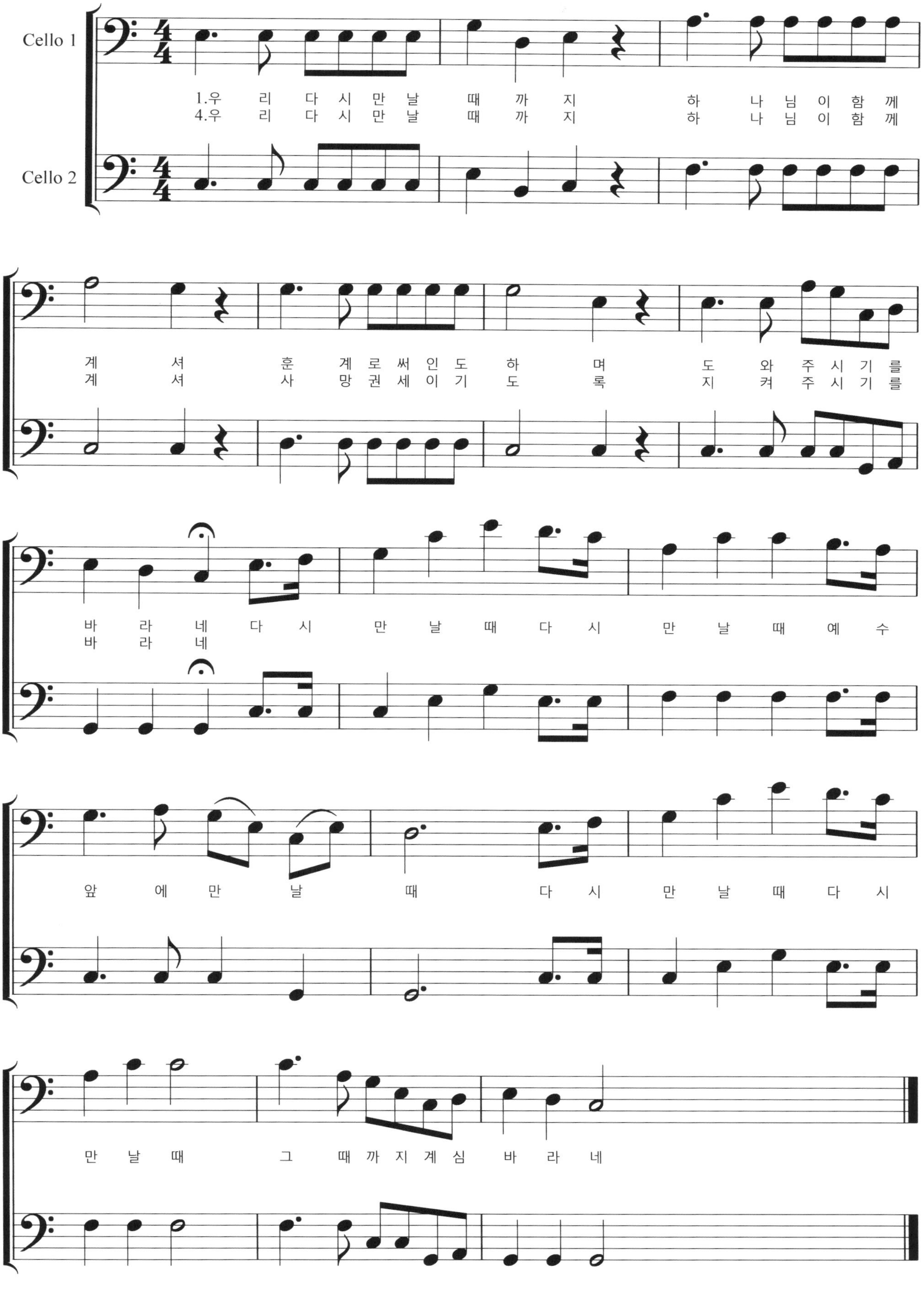

61. 우리가 지금은 나그네 되어도(270. 새508장)

E.T.Cassel/F.H.Cassel. Arr. Leewangjae

62. 우리는 주님을 늘 배반하나(412. 새290장)

S.Clough/I.D.Sankey. Arr. Leewangjae

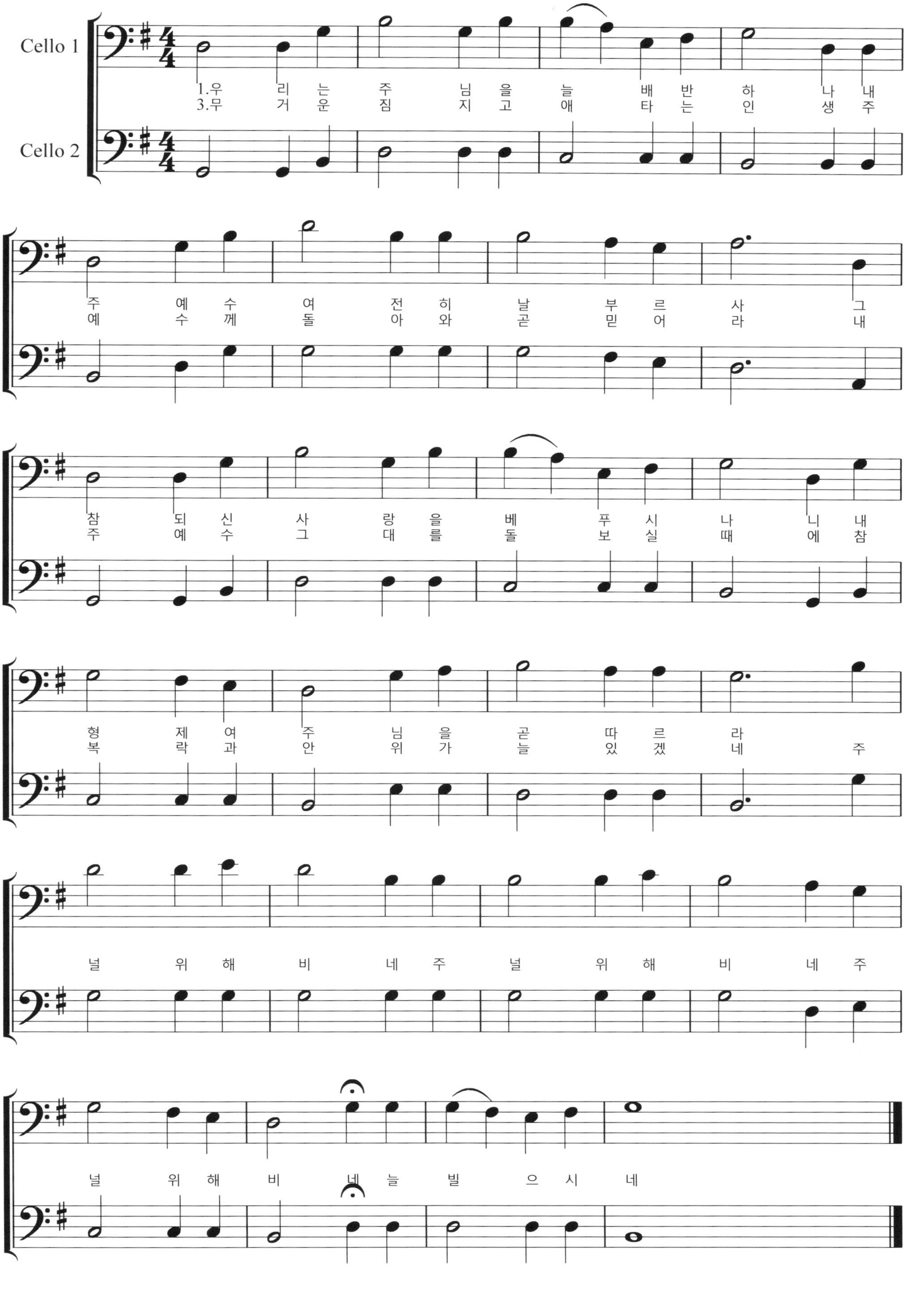

63. 웬일인가 내 형제여(269. 새522장)

웬말인가 날 위하여(141. 새143장)

C.Wesley. Arr. Leewangjae

64. 이 눈에 아무 증거 아니 뵈어도(344. 새545장)

W.O.Cushing/R.Lowry. Arr. Leewangjae

65. 이 몸의 소망 무엔가(539. 새488장)

E.Mote/W.B.Bradbury. Arr. Leewangjae

66. 이 세상 험하고(197. 새263장)

197장 통일찬송가

E.M.Myers/J.T.Grape. Arr. Leewangjae

1.이 세 상 험 하 고 나 비 록 약 하 여
4.죄 사 함 받 은 후 새 사 람 되 어

나 늘 주 기 앞 도 힘 쓰 면 큰 권 능 얻 겠 네
서 늘 주 앞 에 서 는 날 늘 찬 송 하 겠 네

주 의 은 혜 로 대 속 하 여 서 피 와 같 이

붉 은 죄 눈 같 이 희 겠 네 아 멘

67. 이 세상에 근심된 일이 많고(474. 새486장)

H.L.Gilmore/G.D.Moore. Arr. Leewangjae

68. 이 세상의 모든 죄를(195. 새261장)

E.R.Lata/H.S.Perkins. Arr. Leewangjae

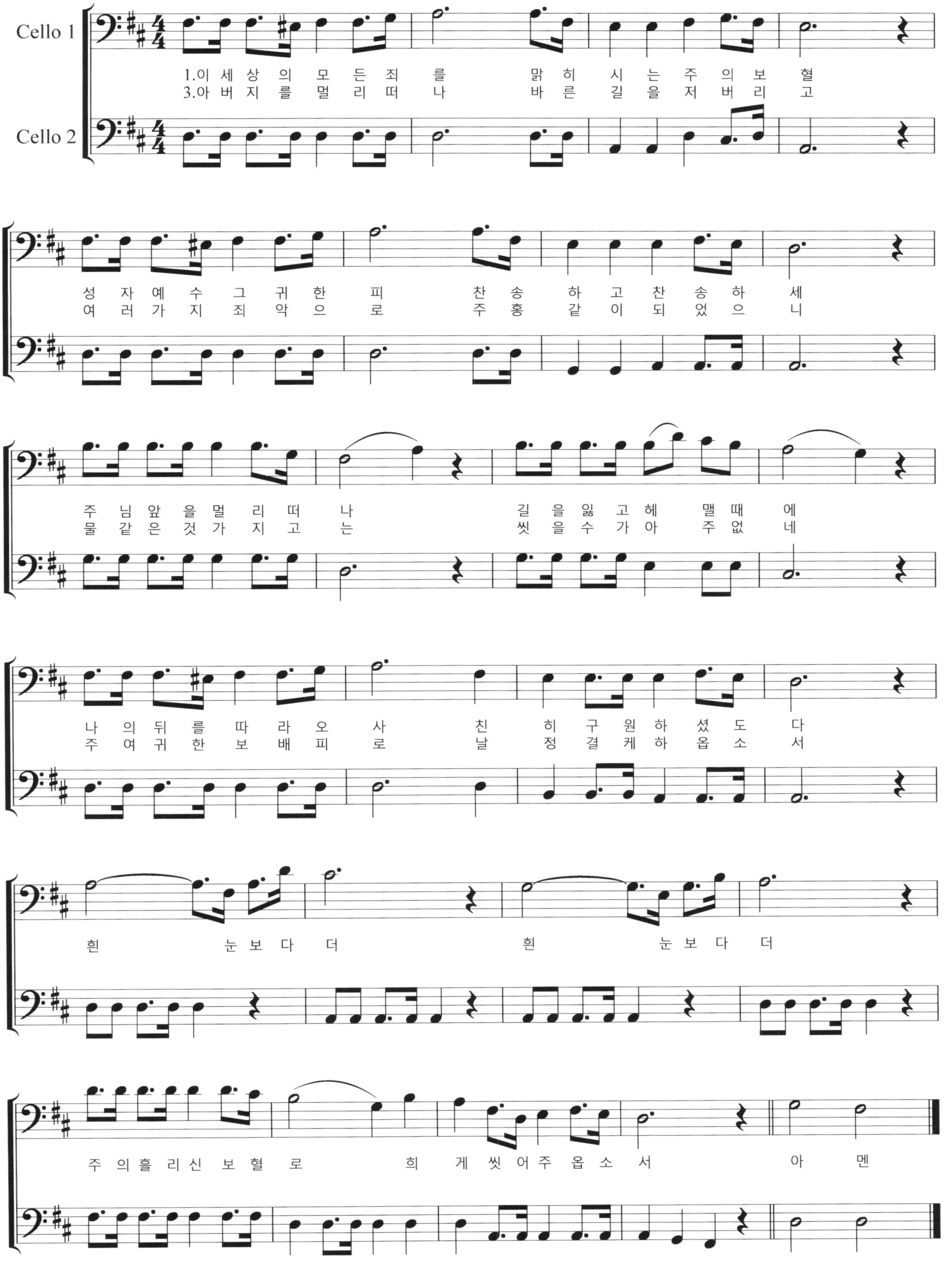

69. 인애하신 구세주여(337. 새279장)

F.J.Crosby/W.H.Doane. Arr. Leewangjae

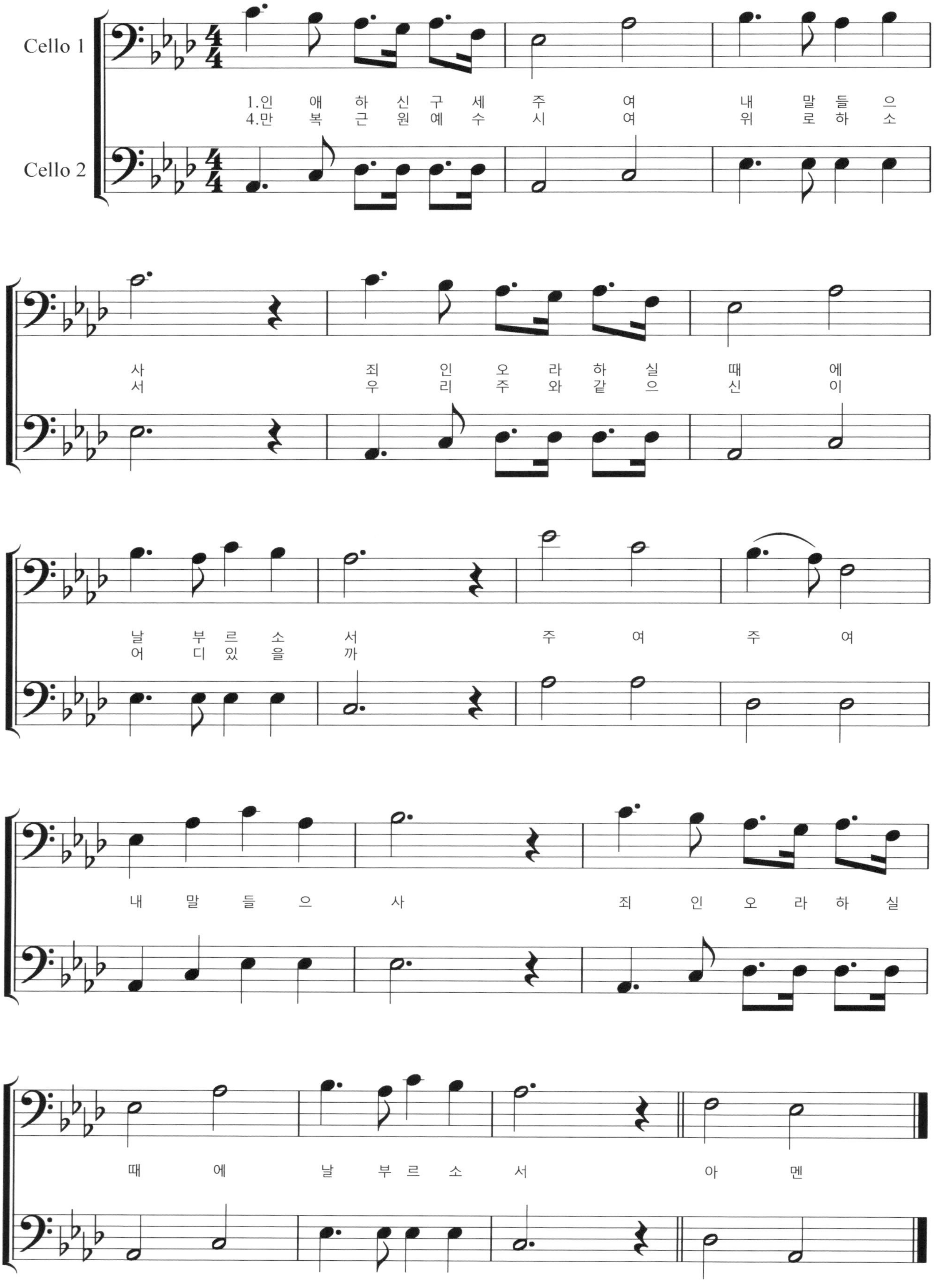

70. 자비하신 예수여(450. 새395장)

T.Hastings/J.P.Holbrook. Arr. Leewangjae

Cello 1
Cello 2

1.자 비 하 신 예 수 여 내 가 사 람 가 운 데 의 지
4.거 룩 하 신 구 주 여 피 로 날 사 셨 으 니 어 찌

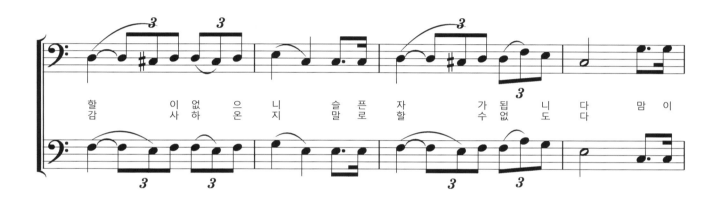

할 이 없 은 니 슬 픈 자 가 됩 니 다 맘 이
감 사 하 온 지 말 로 할 수 없 도 다

어 두 웠 으 니 밝 게 하 여 주 소 서 저 를 보 호 하 시

고 항 상 인 도 하 소 서 아 멘

71. 저 높은 곳을 향하여(543. 새491장)

C. H. Gabriel. Arr. Leewangjae

1.저 높은 곳을 향하 여 날마다 나 아 갑 니
5.험하고 높 은 이 길을 싸 우 며 나 아 갑 니

다 내 뜻과 정 성 모두 어 날마다 기 도합 니
다 다시 금 정 기 도하오 니 내주여 인 도하소

다 내 주여 내 발 붙드 사 그곳에 서 게하소
서

서 그 곳은 빛 과 사 랑 이 언제나 넘 치옵 니 다

72. 저 들 밖에 한밤중에(123. 새123장)

Traditional English Carol. Arr. Leewangjae

73. 죄짐 맡은 우리 구주(487. 새369장)

J.Scriven/C.C.Converse. Arr. Leewangjae

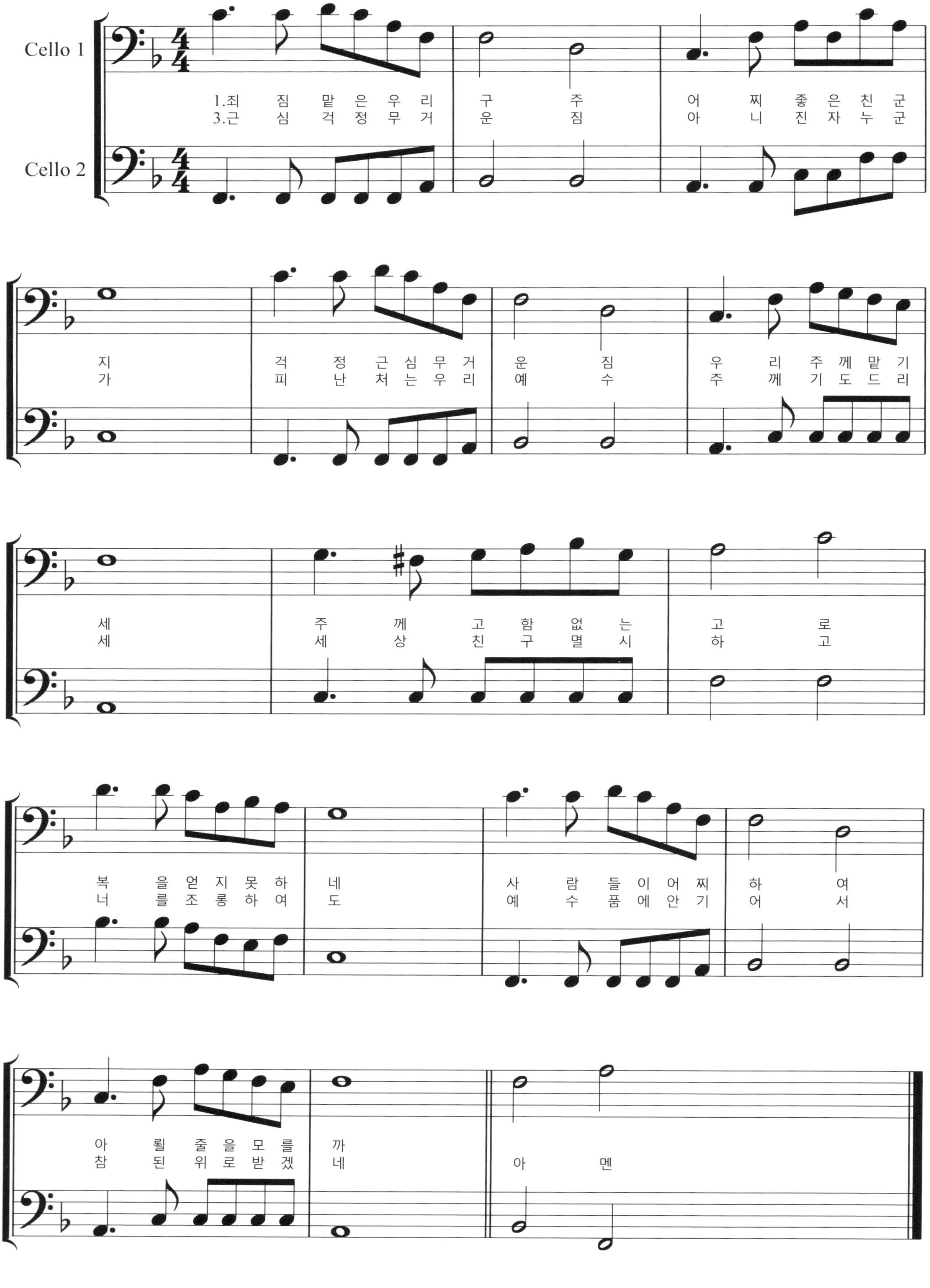

74. 주 날개 밑 내가 편안히 쉬네(478. 새419장)

W.O.Cushing/I.D.Sankey. Arr. Leewangjae

75. 주 달려 죽은 십자가(147. 새149장)

I.Watts/Arr. by Mason. Arr. Leewangjae

Cello 1 / Cello 2

1.주 달 려 죽 은 십 자 가
4.온 세 상 죄 만 은 물 가 져

가 우 리 가 생 각 다 할 갚 때 겠
도 주 은 혜 못 다 값 겠

에 세 상 에 속 한 욕 심 은
네 놀 라 운 사 랑 받 은

을 헛 된 줄 알 고 버 리 겠
나 몸 된 으 로 제 물 삼 리 겠

네 아 멘
네

76. 주 안에 있는 나에게(455. 새370장)

E.E.Hewitt/W.J.Kirkpatrick. Arr. Leewangjae

1.주 안 에 있 는 나 에 게 딴 근 심 있 으
4.내 주 와 맺 은 언 약 은 영 불 변 하 시

랴 십 자 가 밑 에 나 아 가 내 짐 을 풀 었
니 그 나 라 가 기 까 지 는 늘 보 호 하 시

네 주 님 을 찬 송 하 면 서 할 렐 루 야 할 렐 루 야
네

내 앞 길 멀 고 험 해 도 나 주 님 만 따 라 가 리

77. 주 없이 살 수 없네(415. 새292장)

F.R.Havergal/S.Ferreti. Arr. Leewangjae

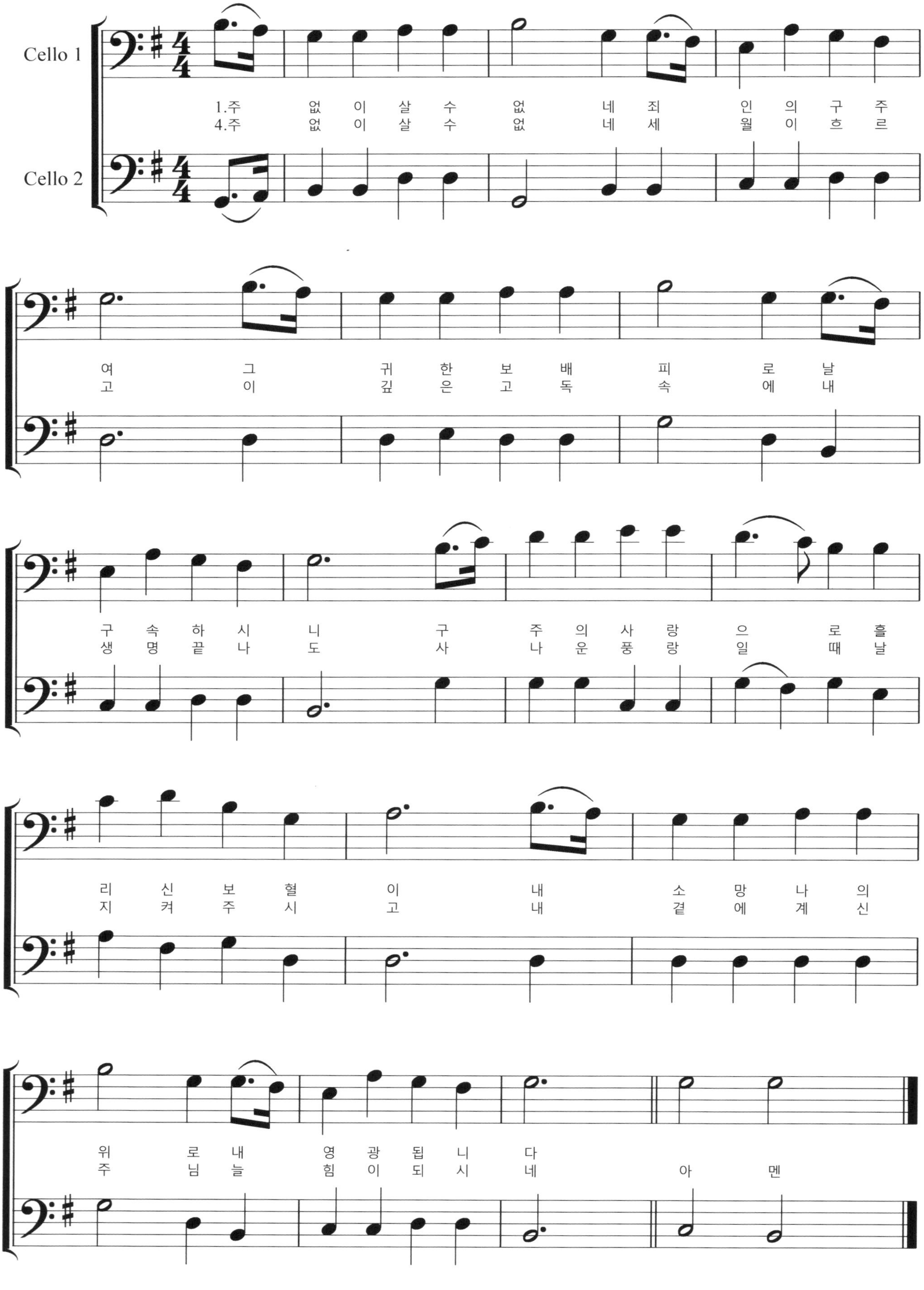

78. 주 예수 내 맘에 들어와 계신 후(208. 새289장)

R.H.McDaniel/C.H.Gabriel. Arr. Leewangjae

79. 주 예수 대문 밖에(325. 새535장)

W.W.How/J.H.Knecht. Arr. Leewangjae

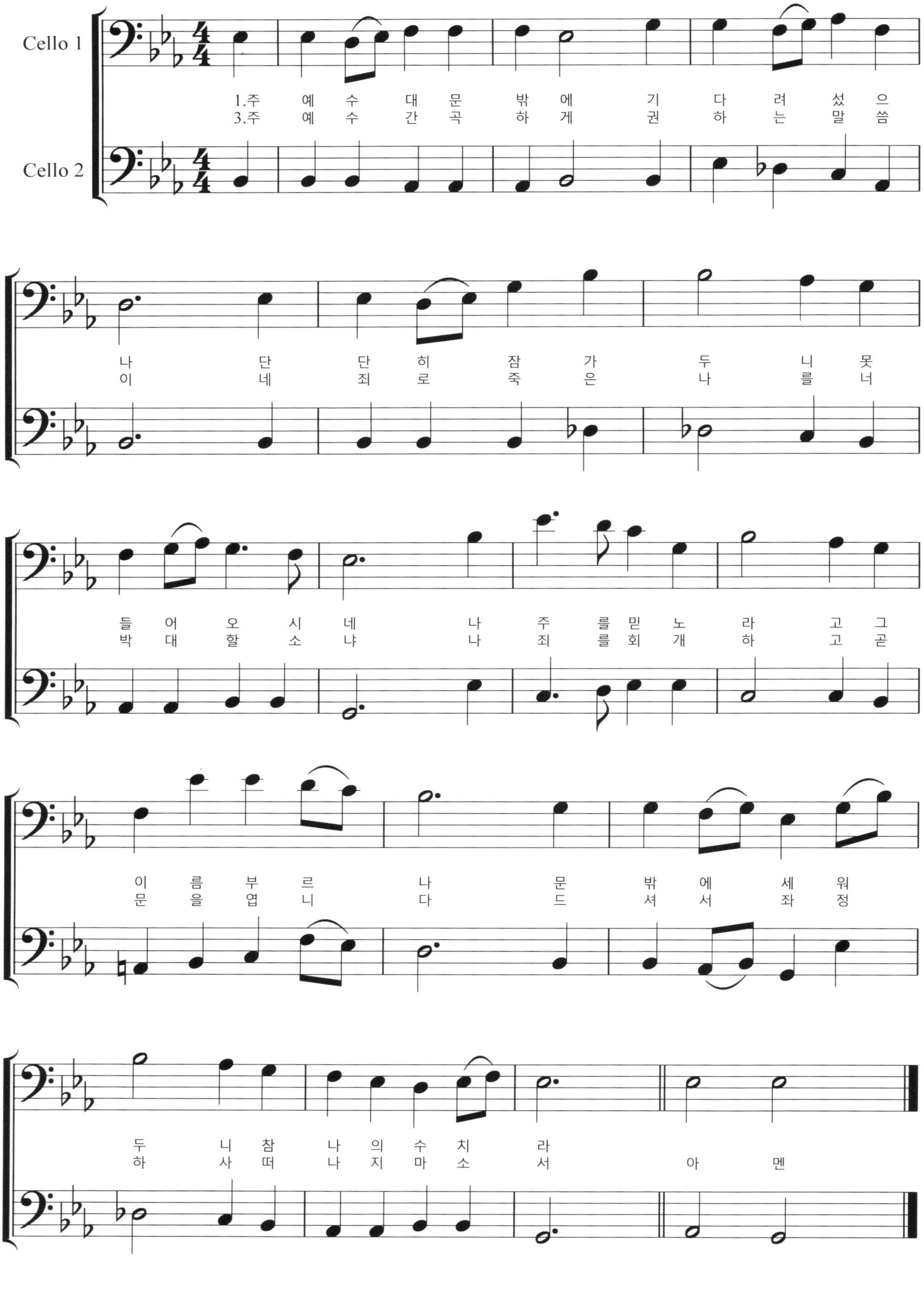

80. 주 예수보다 더 귀한 것은 없네(102. 새94장)

Mrs.R.Miller/G.B.Shea. Arr. Leewangjae

81. 주 예수여 은혜를(486. 새368장)

Anonymous/Anonymous. Arr. Leewangjae

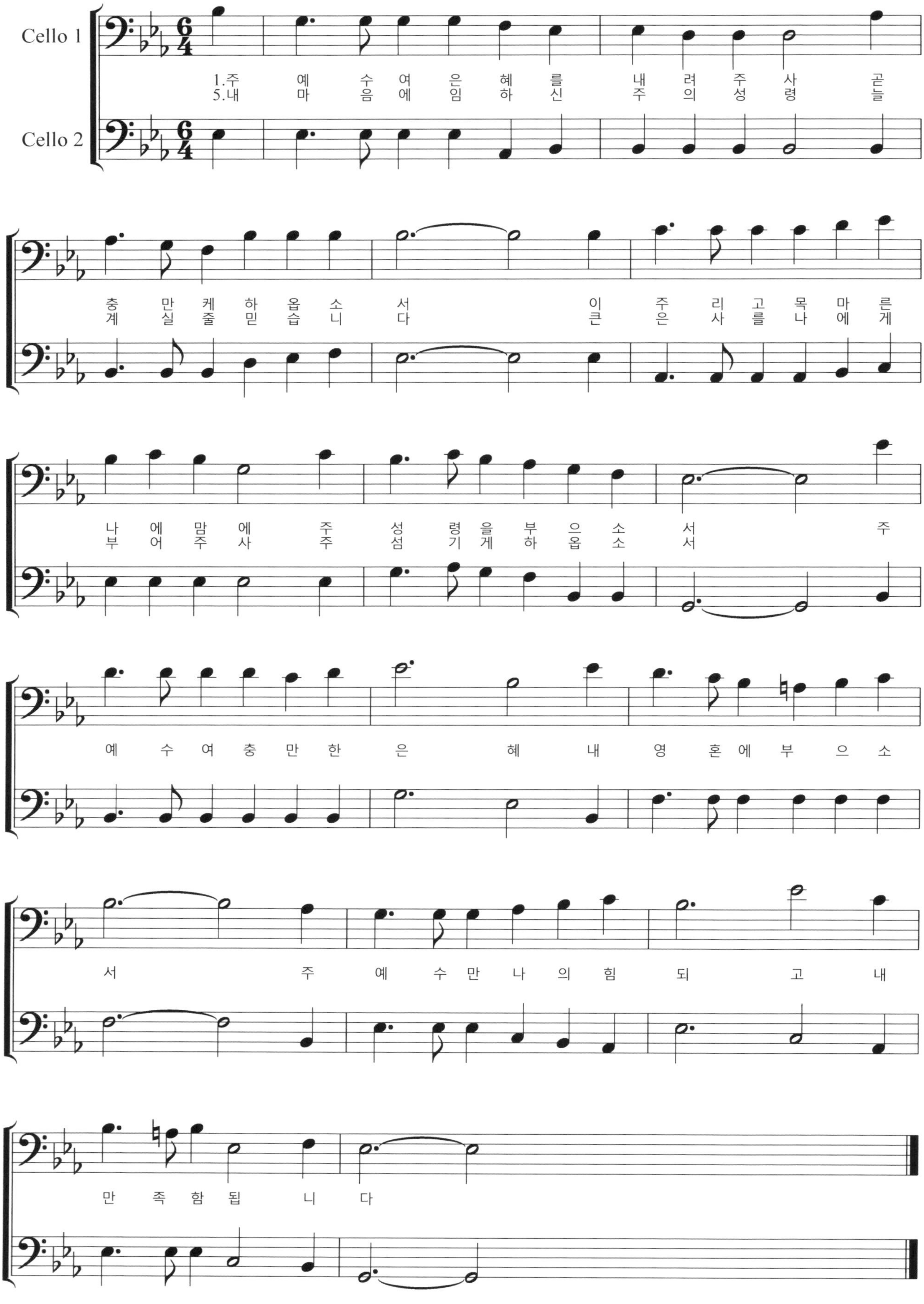

82. 주 음성 외에는(500. 새446장)

A. S. Hawks/R. Lowry. Arr. Leewangjae

1.주 음 성 외 에 는 　 더 기 쁨 없 도 다 　 날
4.그 귀 한 언 약 을 　 이 루 어 주 시 고 　 주

사 랑 하 신 주 　 늘 계 시 옵 소 서 서 　 기
명 령 따 를 때 　 늘 계 시 옵 소 서 　

쁘 고 기 쁘 도 다 　 항 상 기 쁘 도 다 나 주 께 왔 사

오 니 복 주 옵 소 서 　 아 　 멘

83. 주 하나님 지으신 모든 세계(40. 새79장)

E.A Edgren. Arr. Leewangjae

Cello 1
Cello 2
1.주 하 나 님 지 으 신 모 든 세 계 내 마 음
4.내 주 예 수 세 상 에 다 시 올 때 저 천 국
속 에 그 리 어 볼 때 하 늘 의 별 울 려 퍼 지 는
으 로 날 인 도 하 리 나 겸 손 히 엎 드 려 경 배
뇌 성 주 님 의 권 능 우 주 에 찼 네 주 님 의
하 며 영 원 히 주 를 찬 양 하 리 라
높 고 위 대 하 심 을 내 영 혼 이 찬 양 하 네 주 님 의
높 고 위 대 하 심 을 내 영 혼 이 찬 양 하 네

84. 주를 앙모하는 자(394. 새354장)

394장 통일찬송가

Anonymous/Anonymous. Arr. Leewangjae

85. 주여 지난 밤 내 꿈에(542. 새490장)

C.H.Gabriel. Arr. Leewangjae

Cello 1
Cello 2
1.주 여 지 난 밤 내 꿈 에 뵈 었 으 니 그 꿈
3.세 상 풍 조 는 나 날 이 갈 리 어 도 나 는
이 루 어 주 옵 소 서 밤 과 아 침 에 계 시 로 보 여 주 사 항 상
내 믿 음 지 키 리 니 인 생 살 다 가 죽 음 이 꿈 같 으 나 오 직
은 혜 를 주 옵 소 서 나 의 놀 라 운 꿈 정 녕
내 꿈 은 참 되 리 라
나 믿 기 는 장 차 큰 은 혜 받 을 표 니 나 의
놀 라 운 꿈 정 녕 이 루 어 져 주 님 얼 굴 을 뵈 오 리 라

86. 주의 곁에 있을 때(457. 새401장)

F.M.Davis/F.M.Davis. Arr. Leewangjae

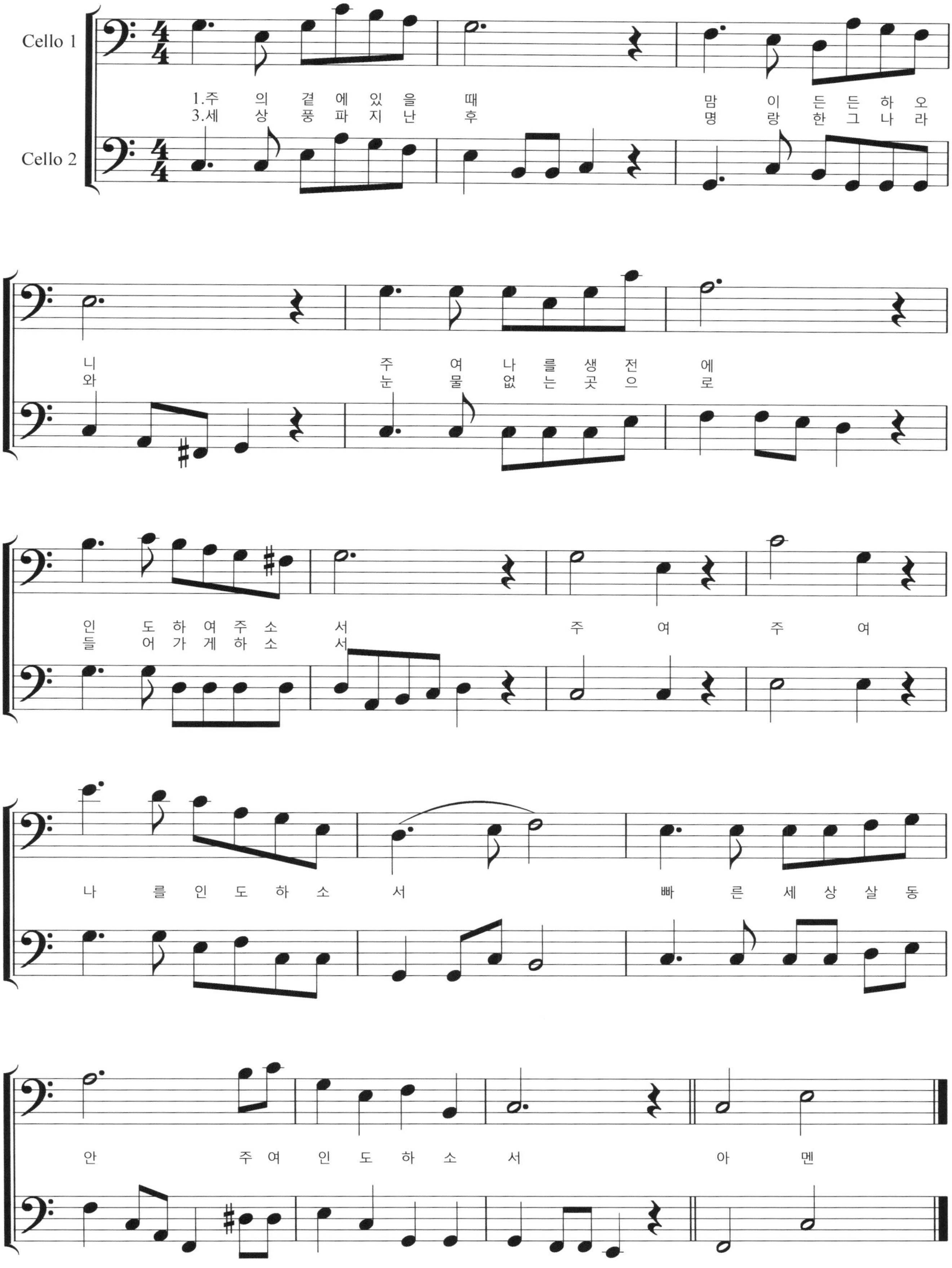

87. 주의 음성을 내가 들으니(219. 새540장)

F.J.Crosby/W.H.Doane. Arr. Leewangjae

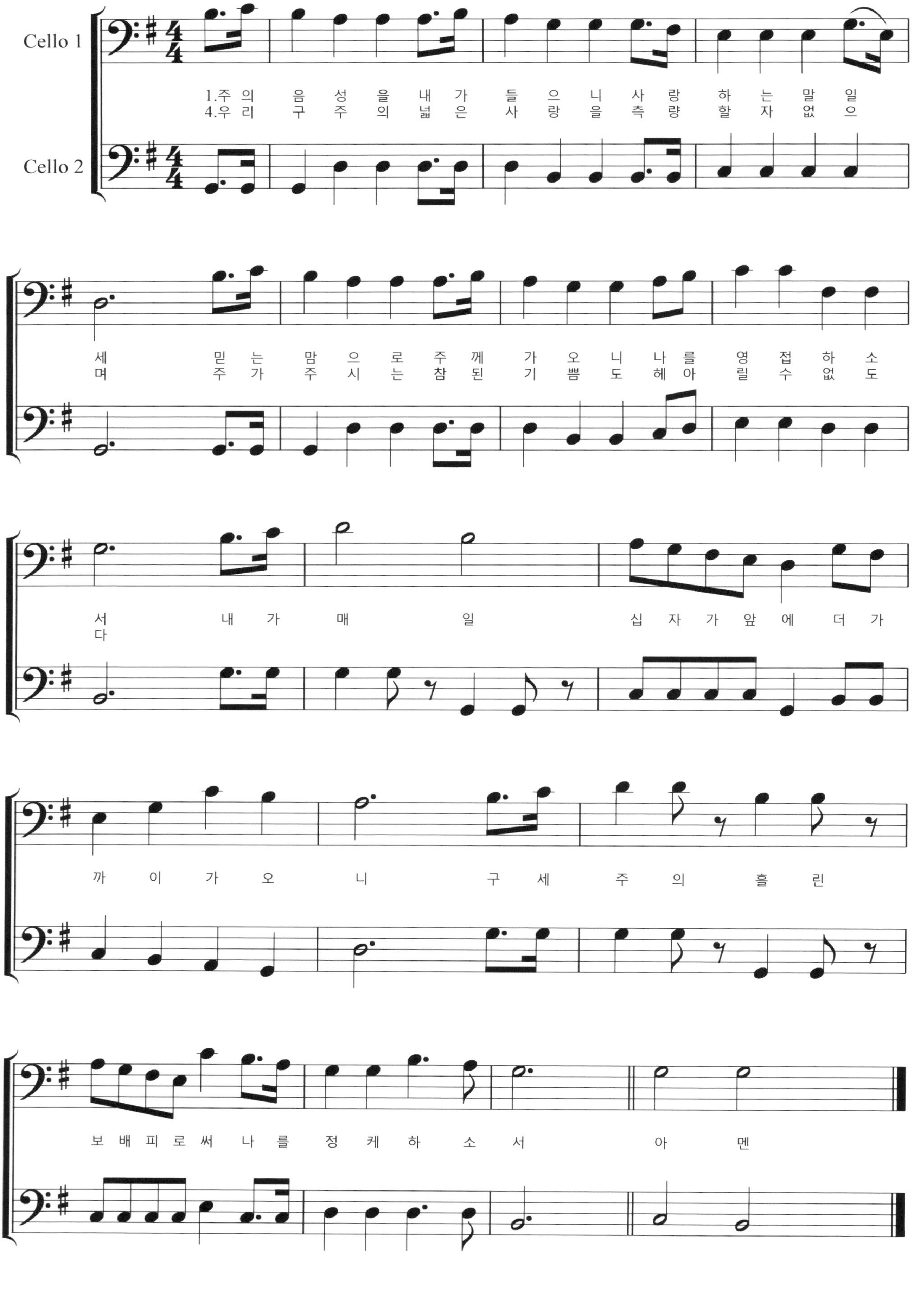

88. 진실하신 주 성령(181. 새189장)

M.M.Wells/M.M.Wells. Arr. Leewangjae

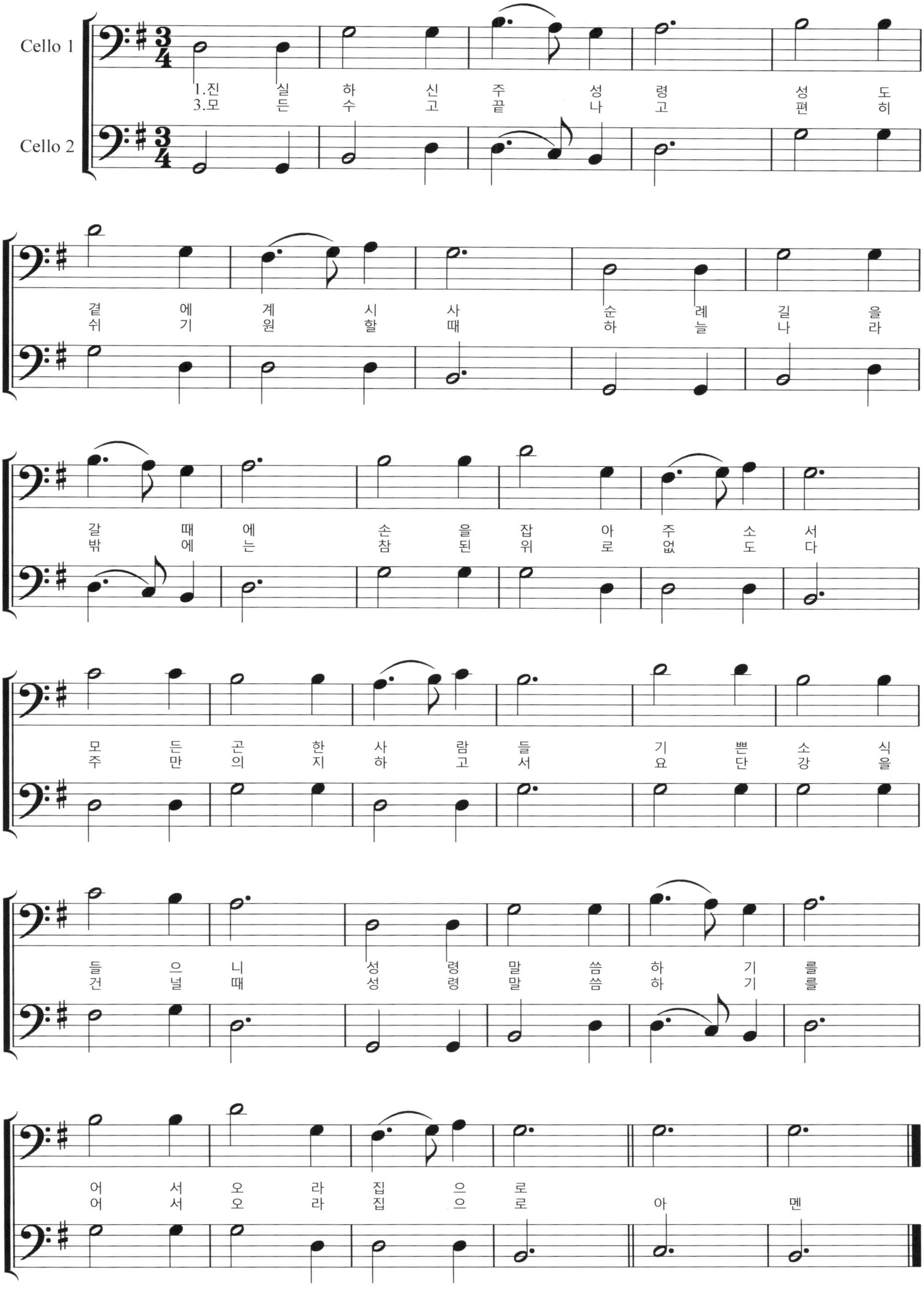

89. 참 반가운 신도여(122. 새122장)

Latin Hymn, 18th Century. Arr. Leewangjae

90. 참 아름다워라(78. 새478장)

M. D. Babcock, F. L. Sheppard. Arr. Leewangjae

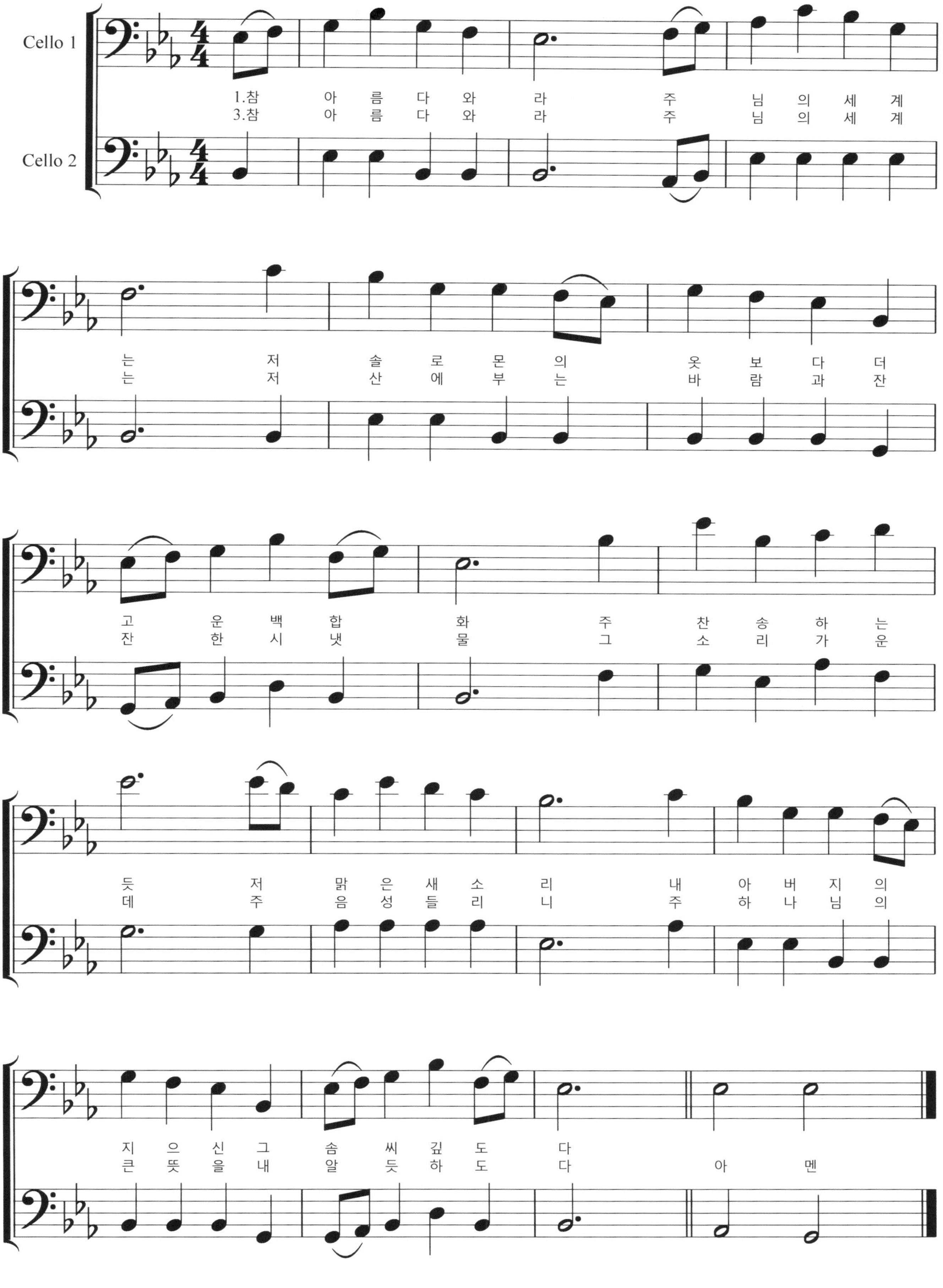

91. 천부여 의지 없어서(338. 새280장)

C.Wesley/W.Shield. Arr. Leewangjae

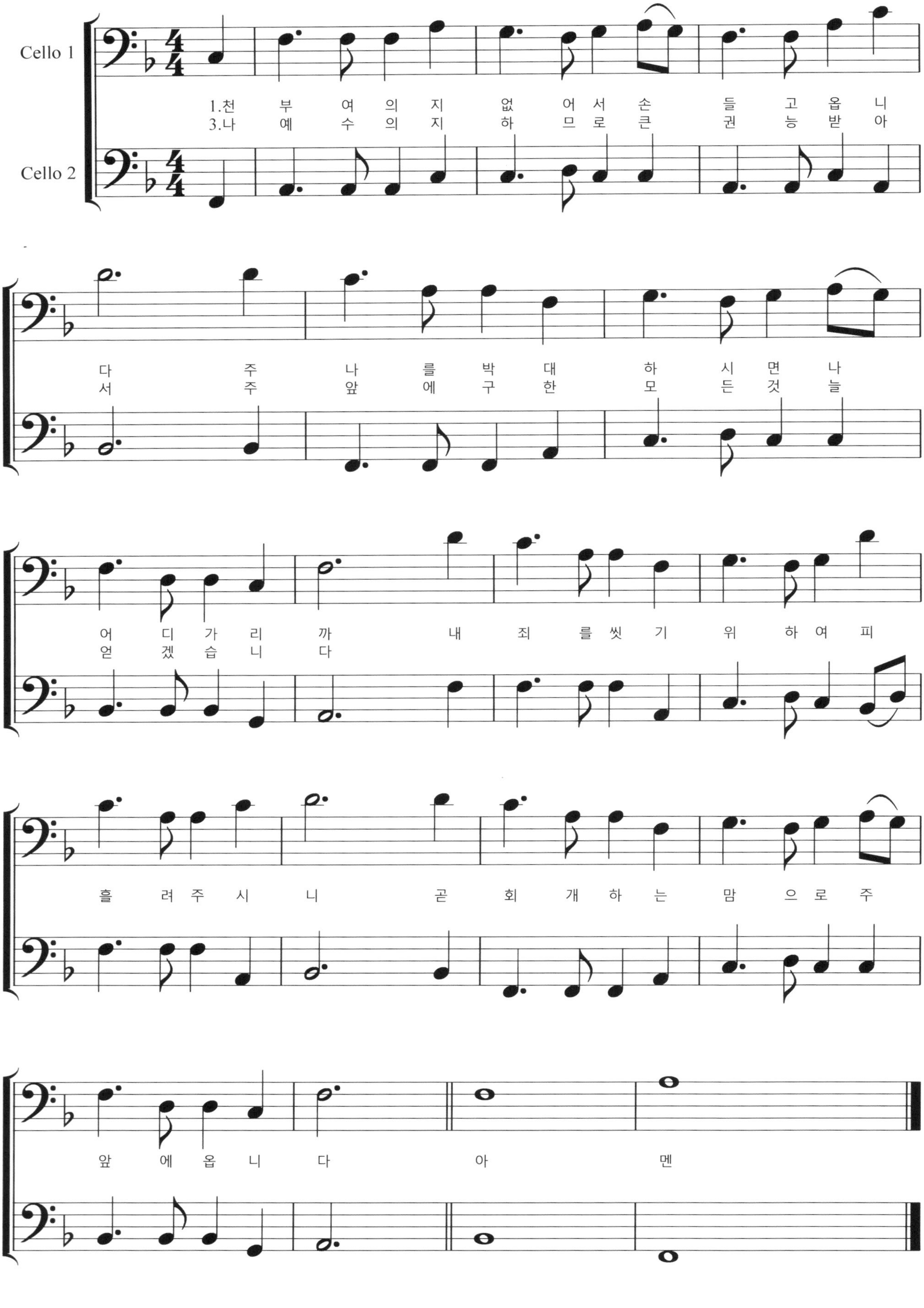

92. 천사 찬송하기를(126. 새126장)

C.Wesley/F.Mendelssohn Arr. Leewangjae

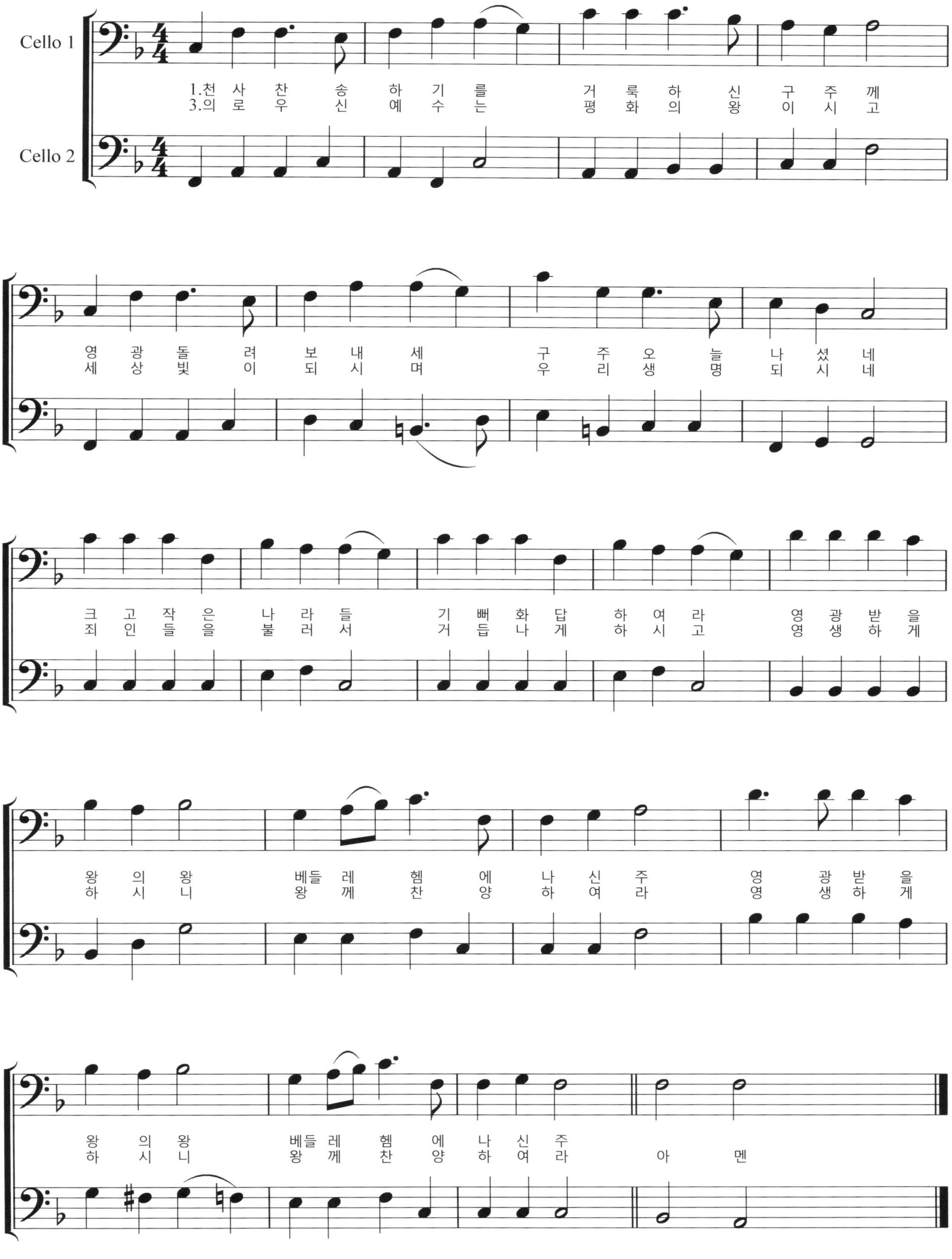

93. 태산을 넘어 험곡에 가도(502. 새445장)

H.J.Zelley/G.H.Cook. Arr. Leewangjae

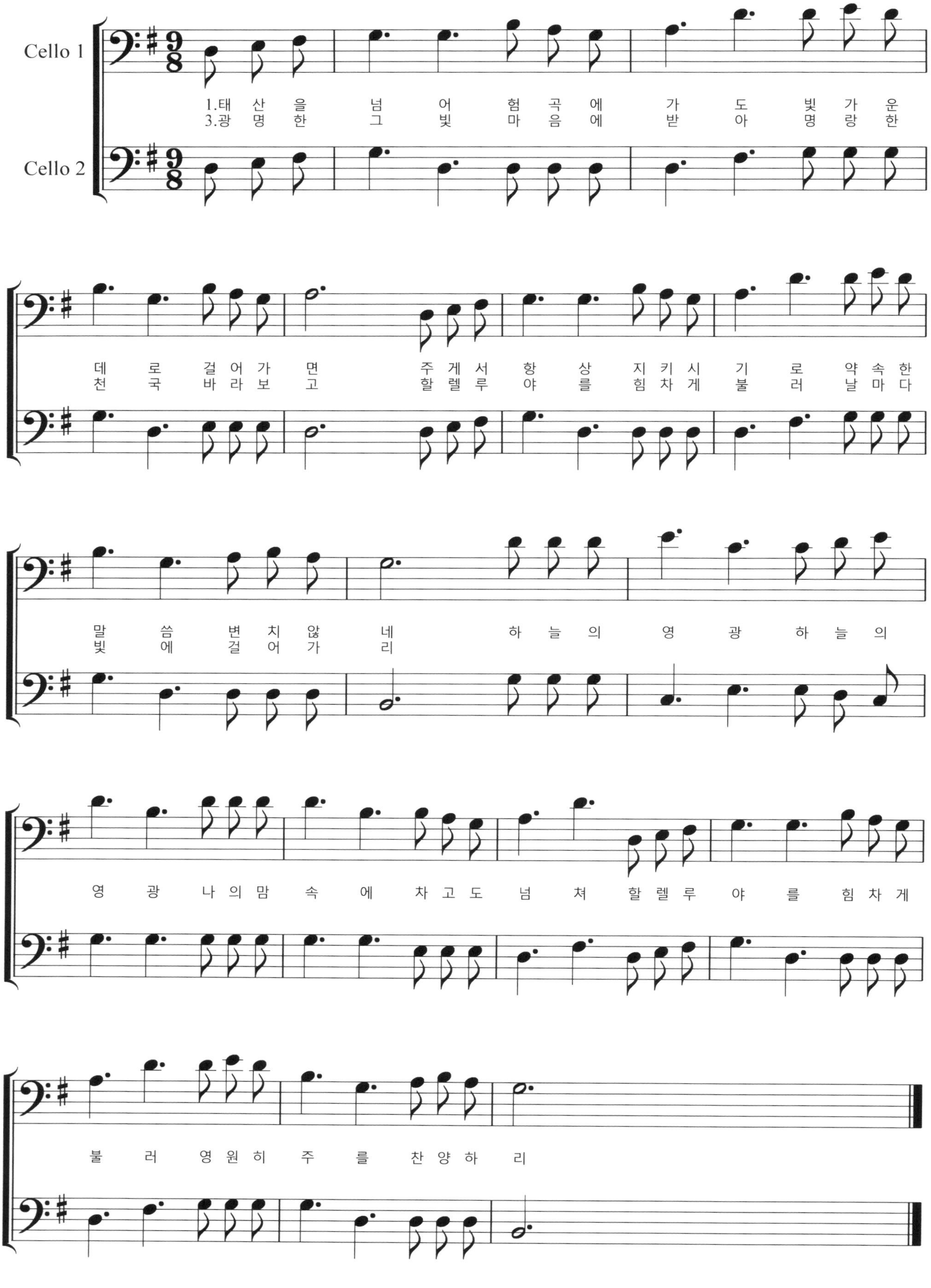

94. 피난처 있으니(79. 새70장)

H.Carey. Arr. Leewangjae

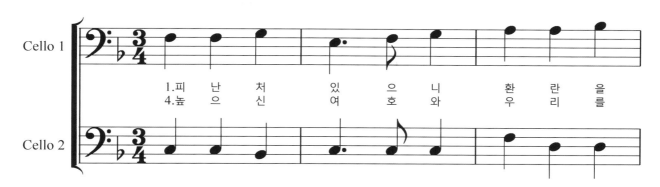

1.피 난 처 있 으 니 환 란 을
4.높 으 신 여 호 와 우.리 를

당 한 자 이 리 오 라 땅 들 이
구 하 니 할 렐 루 야 괴 롬 이

변 하 고 물 결 이 일 어 나 산 위 에
심 하 고 환 난 이 극 하 나 피 난 처

넘 치 되 두 렵 쟎 네
있 으 니 여 호 와 요

95. 하나님 아버지 주신 책은(241. 새202장)

P.P.Bliss/P.P.Bliss. Arr. Leewangjae

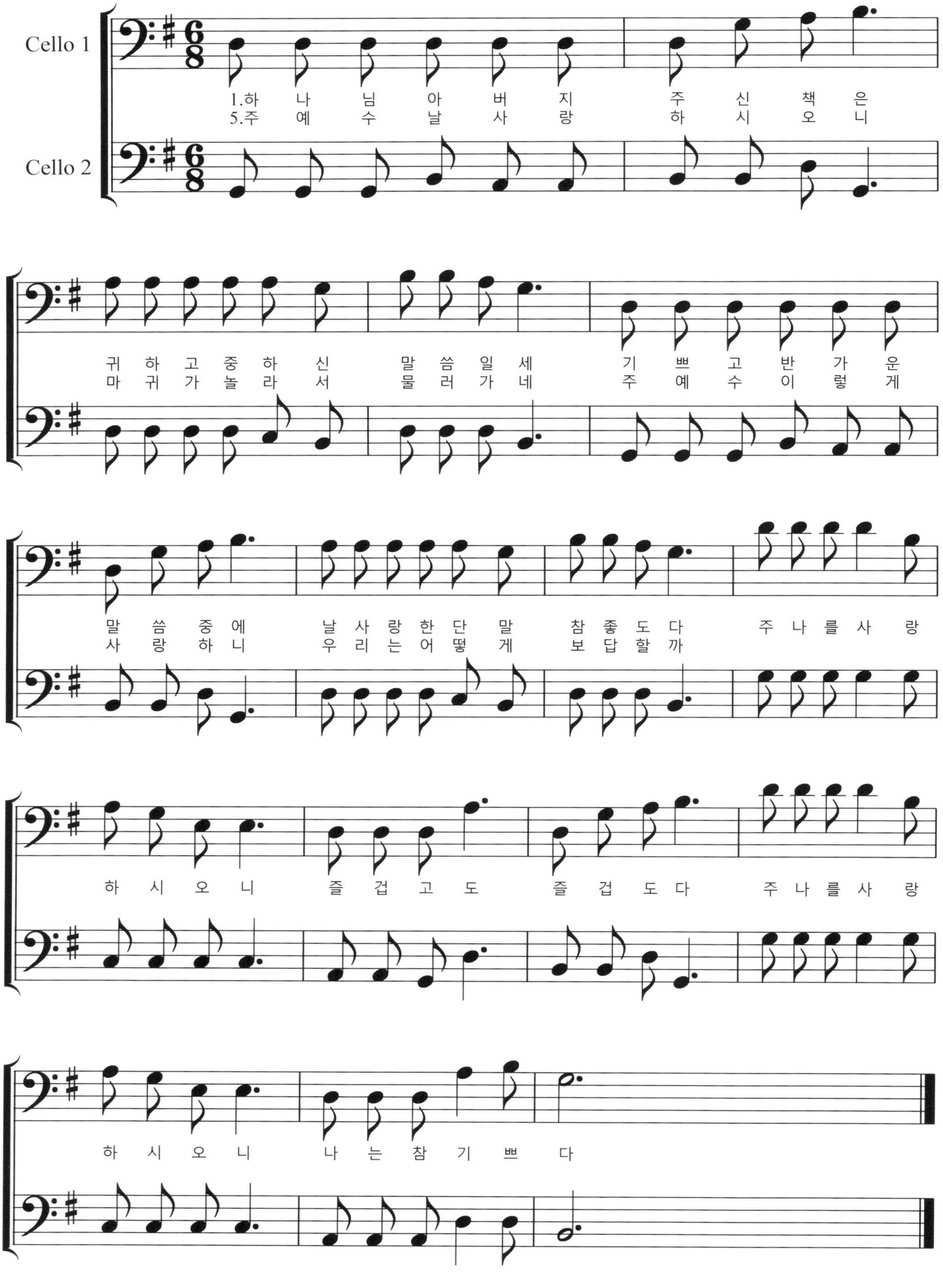

96. 하늘 가는 밝은 길이(545. 새493장)

W.L.Swallen/Lady J.Scott. Arr. Leewangjae

97. 하늘에 계신(주기도문) (새635장)

A. H. Malotte. Arr. Leewangjae

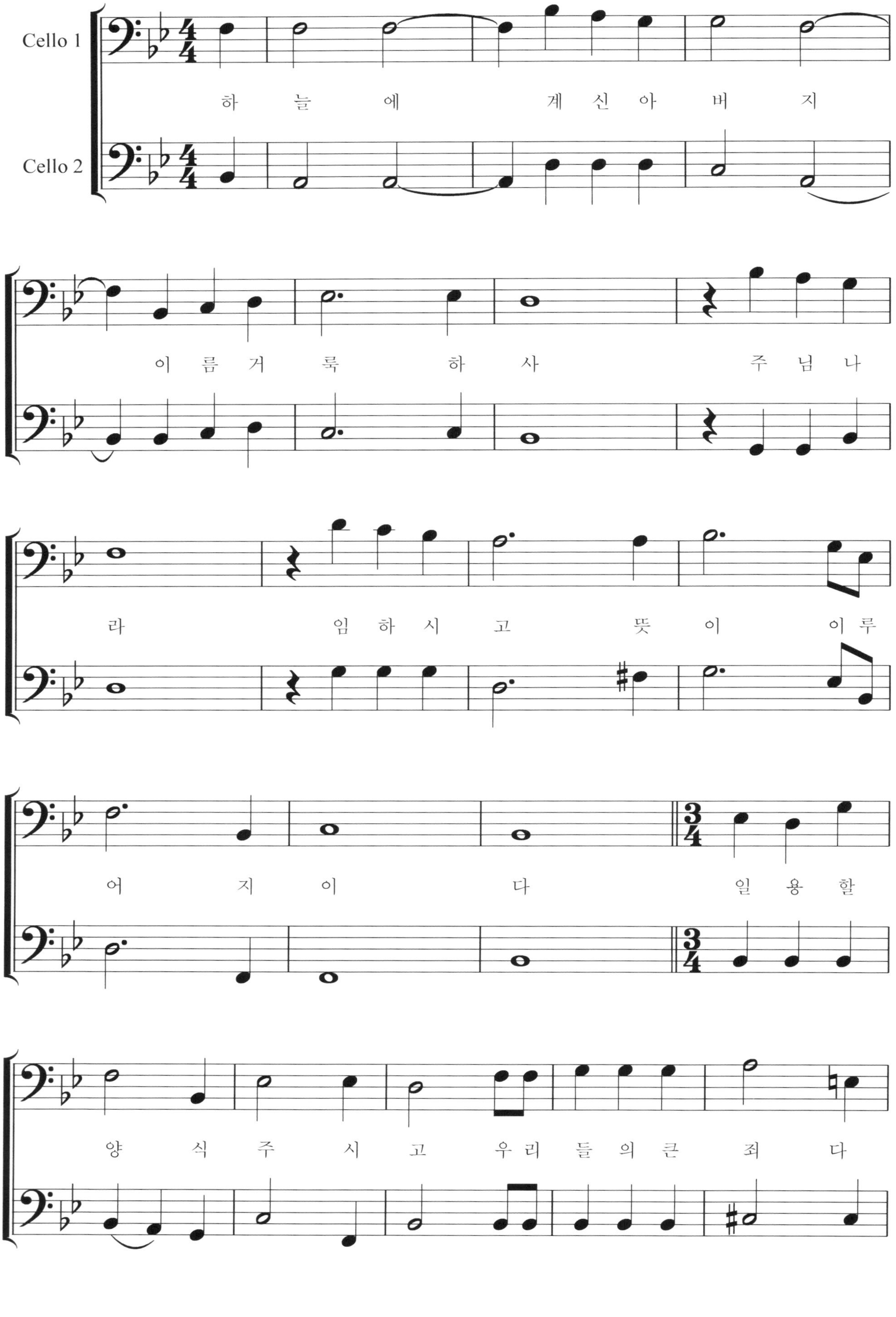

용 서 하 옵 시 며 또　　　시 험 에 들 게 마

시 고 악 에 서 구 원 하 소 서 대

게 주 의 나 라 주 의 권 세 주 의

영 광 영 원 히

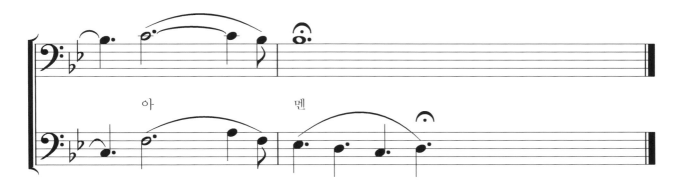

아 멘

98. 할렐루야 우리 예수(159. 새161장)

P.P.Bliss/P.P.Bliss. Arr. Leewangjae

Cello 1

Cello 2

1.할 렐 루 야 우 리 예 수 부 활 승 천 하 셨
3.할 렐 루 야 우 리 예 수 흠 과 티 가 없 도

네 세 상 사 람 찬 양 하 니 천 사 화 답 하 도
다 무 덤 속 에 있 는 죄 인 주 가 일 으 키 시

다 구 주 예 수 부 활 하 사 사 망 권 세 이 겼
네 구 주 예 수 부 활 하 사 영 광 주 로 오 시

네 구 주 예 수 부 활 하 사 사 망 권 세 이 겼 네
네 구 주 예 수 부 활 하 사 영 광 주 로 오 시 네

99. 험한 시험 물 속에서(463. 새400장)

F.Woodrow/C.Fisher. Arr. Leewangjae

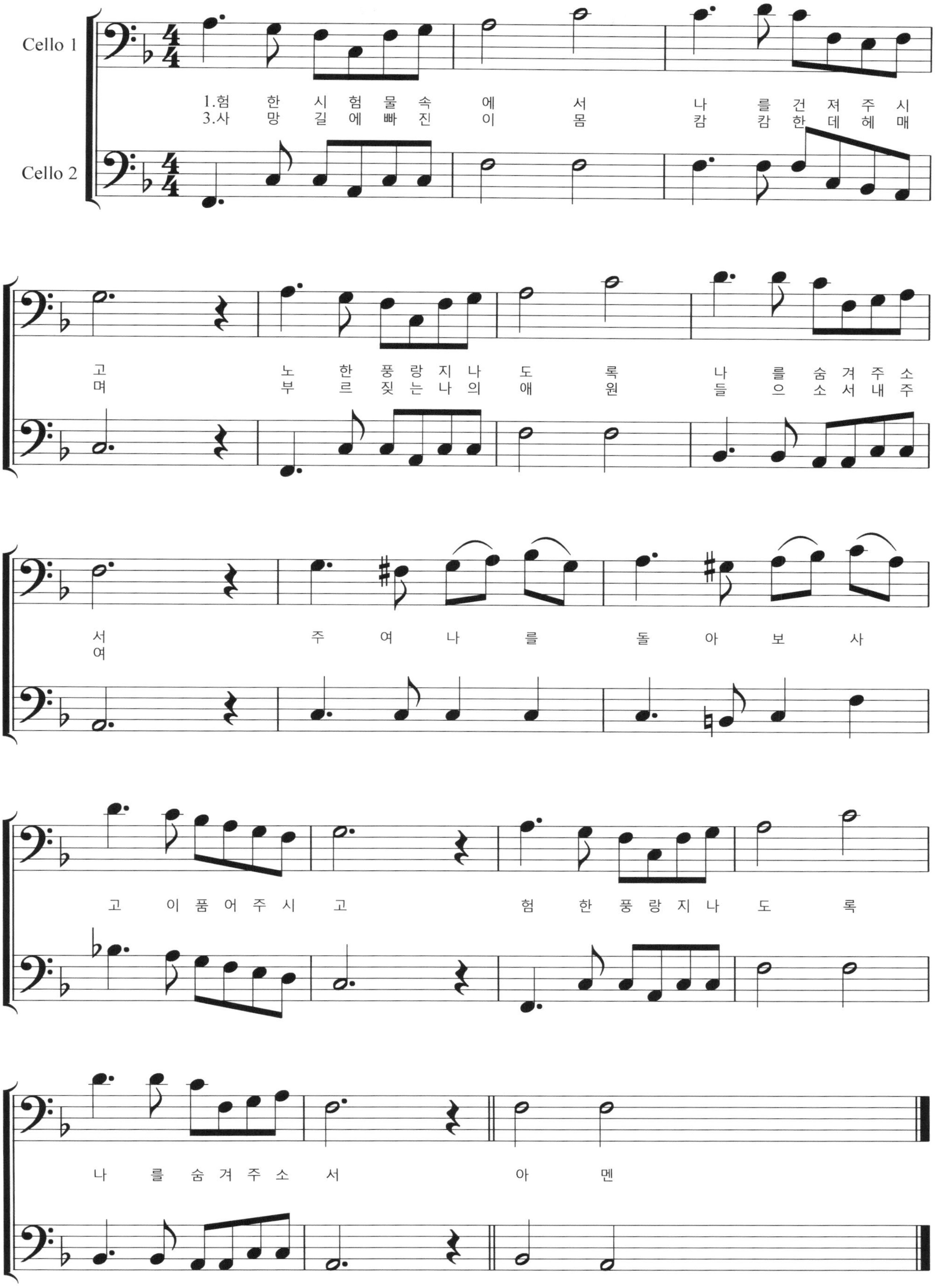

100. 환난과 핍박중에도(383. 새 336장)

F.W.Faber/H.F.Hemy. Arr. Leewangjae

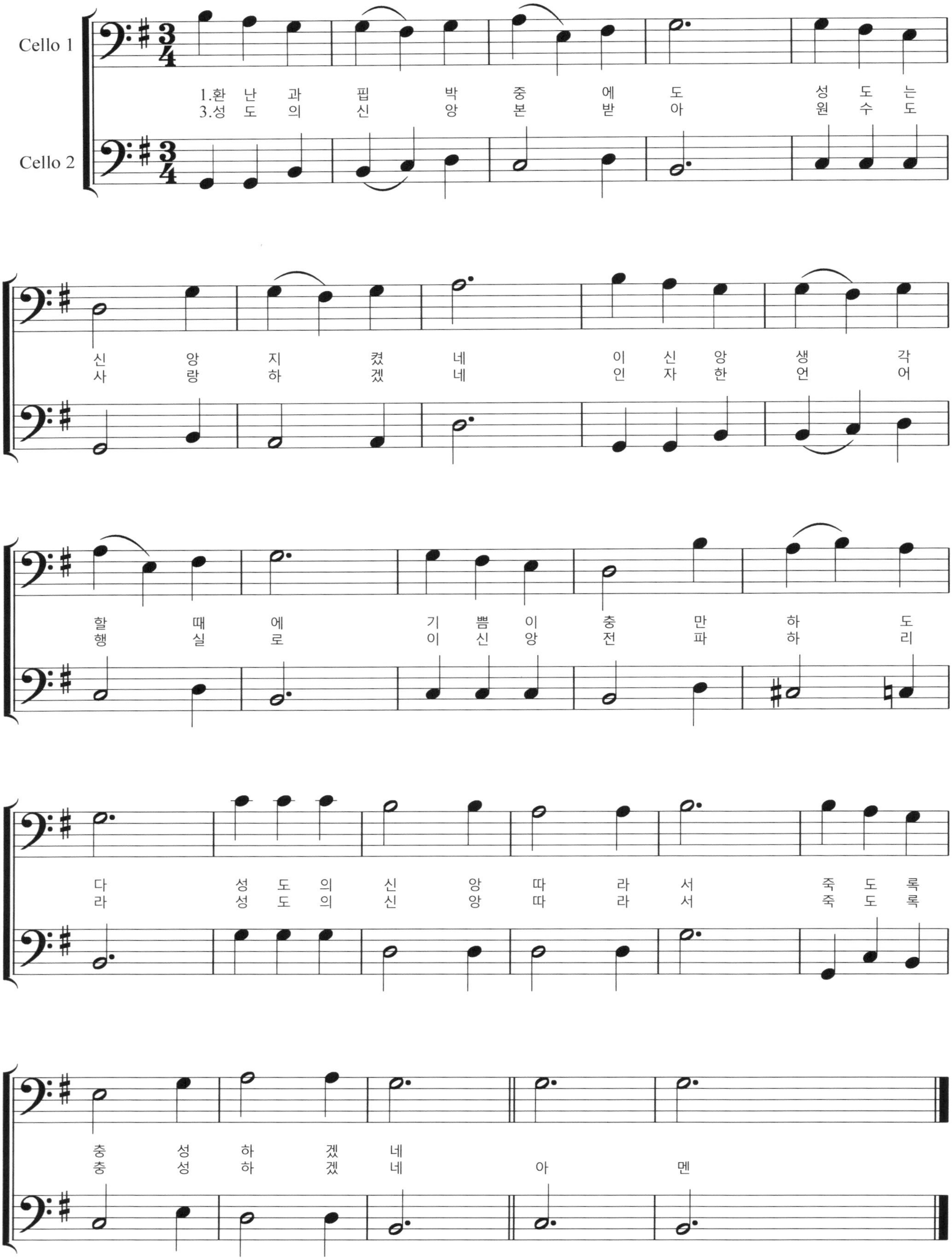

이왕제(Leewangjae) 작곡

찬송가 5편

101. 예수님은 사랑을 가르칠 때에

세마치 장단 민요풍으로

작사.작곡 이왕제

♩=92
Cello 1
Cello 2
1.예 수 님 은 사 랑 을 가 르 칠 때 에 열 두 제 자
2.예 수 님 은 사 랑 을 가 르 칠 때 에 열 두 제 자
3.예 수 님 은 우 리 를 사 랑 하 셔 서 십 자 가 에

더 러 운 발 을 씻 어 주 시 며 너 희 들 도 이 같 이 -
더 러 운 발 을 씻 어 주 시 며 큰 - 자 나 작 은 자 나
못 박 혀 사 랑 을 실 천 했 네 우 리 들 도 예 수 님 -

발 을 씻 기 듯 서 로 서 로 사 랑 하 라 말 씀 하 셨
겸 손 을 배 워 서 로 서 로 사 랑 하 며 살 라 하 셨
본 을 받 아 서 예 수 사 랑 실 천 하 는 제 자 되 리

네 서 로 서 로 사 랑 하 라 말 씀 하 셨 네
네 서 로 서 로 사 랑 하 며 살 라 하 셨 네
라 예 수 사 랑 실 천 하 는 제 자 되 리 라

101-1. 예수님은 사랑을 가르칠 때에

PIANO (세마치 장단 민요풍으로)
작사.작곡 이왕제
♩=92
1.예 수 님 은 사 랑 을 가 르 칠 때 에
2.예 수 님 은 사 랑 을 가 르 칠 때 에
3.예 수 님 은 우 리 를 사 랑 하 셔 서
열 두 제 자 더 러 운 발 을 씻 어 주 시 며
열 두 제 자 더 러 운 발 을 씻 어 주 시 며
십 자 가 에 못 박 혀 사 랑 을 실 천 했 네
너 희 들 도 이 같 이 - 발 을 씻 기 듯
큰 - 자 나 작 은 자 나 겸 손 을 배 워
우 리 들 도 예 수 님 - 본 을 받 아 서
서 로 서 로 사 랑 하 라 말 씀 하 셨 네
서 로 서 로 사 랑 하 며 살 라 하 셨 네
예 수 사 랑 실 천 하 는 제 자 되 리 라
서 로 서 로 사 랑 하 라 말 씀 하 셨 네
서 로 서 로 사 랑 하 며 살 라 하 셨 네
예 수 사 랑 실 천 하 는 제 자 되 리 라

102. 예수 사랑하심은

굿거리 장단 민요풍으로

(411.새563장) 이왕제 곡 Arr. Leewangjae

1.예 수 사 랑 하 심 은　　거 룩 하 신 말 일 세
4.세 상 사 는 동 안 에　　나 와 함 께 하 시 고

우 리 들 은 약 하 나　　예 수 권 세 많 도 다
세 상 떠 나 가 는 날　　천 국 가 게 하 소 서

날 사 랑 하 심　　날 사 랑 하 심　　성 경 에 써 있 네

날 사 랑 하 심　　날 사 랑 하 심　　성 경 에 써 있 네

102-1. 예수 사랑하심은

PIANO (굿거리 장단 민요풍으로)

(411. 새563장) 작곡 이왕제

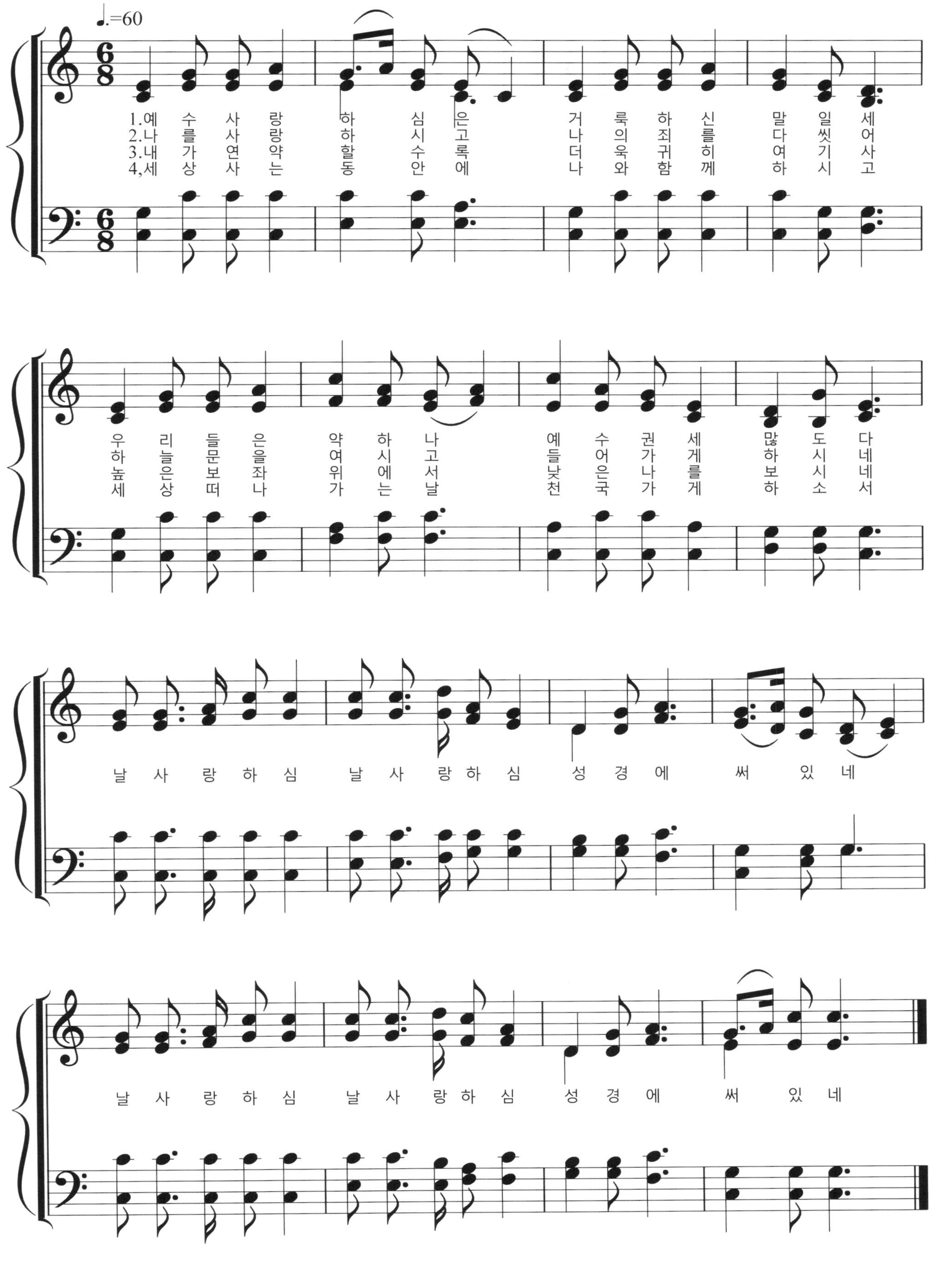

103. 욕심이 잉태하여 죄악을 낳고

이 왕 제 시.곡 Arr. Leewangjae
♩=106
Cello 1
Cello 2
1.욕 - 심 이 잉 태 하 여 죄 악 을 낳
3.죄 의 길 을 떠 나 살 때 기 쁨 이 오
고 죄 가 - 장 성 하 면 사 망 길 간
고 주 님 만 따 라 가 면 천 국 에 간
다 이 세 상 살 동 안
다 이 세 상 험 한 길
욕 심 없 는 마 음 으 로 죄 짓 지
회 개 하 는 마 음 으 로 십 자 가
않 고 서 살 아 가 리 라
지 고 서 승 리 하 리 라

103-1. 욕심이 잉태하여 죄악을 낳고

PIANO

작사.작곡 이왕제

♩=106
1.욕 - 심 이 잉 태 하 여 죄 악 을 낳 고
2.욕 심 없 는 마 음 속 에 평 화 가 오 고
3.죄 의 길 을 떠 나 살 때 기 쁨 이 오 고
죄 가 - 장 성 하 면 사 망 길 간 다
믿 음 이 장 성 하 면 생 명 길 간 다
주 님 만 따 라 가 면 천 국 에 간 다
이 세 상 살 동 안 욕 심 없 는 마 음 으 로
이 세 상 살 동 안 기 도 하 는 마 음 으 로
이 세 상 험 한 길 회 개 하 는 마 음 으 로
죄 짓 지 않 고 서 살 아 가 리 라
주 의 지 하 면 서 살 아 가 리 라
십 자 가 지 고 서 승 리 하 리 라

104. 선한 목자되신 우리 주

굿거리 장단 민요풍으로

(442. 새569장) 이왕제 곡 Arr. Leewangjae

Cello 1

1.선 한 목 자 되 신 우 리 주 항 상 인 도 하 시
4.일 찍 주 의 뜻 을 따 라 서 살 아 가 게 하 시

Cello 2

고 방 초 동 산 좋 은 곳 에 서 우 리 먹 여 줍 소
고 주 의 크 신 사 랑 베 푸 사 주 를 좇 게 합 소

서 선 한 목 자 구 세 주 여 항 상 인 도 합 소 서
서 선 한 목 자 구 세 주 여 항 상 인 도 합 소 서

선 한 목 자 구 세 주 여 항 상 인 도 합 소 서
선 한 목 자 구 세 주 여 항 상 인 도 합 소 서

104-1. 선한 목자되신 우리 주

PIANO (굿거리 장단 민요풍으로)

(442. 새569장) 작곡 이왕제

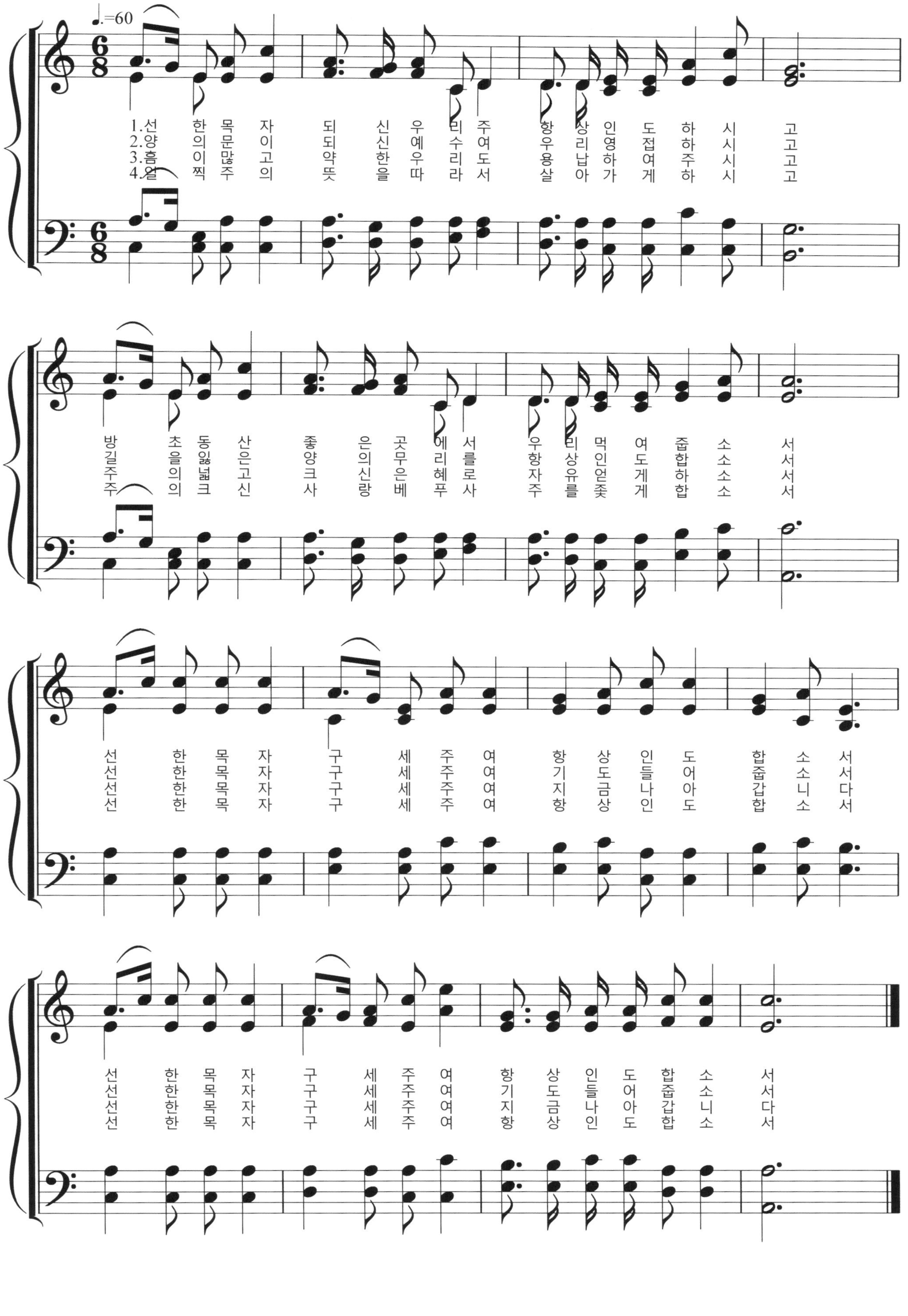

105. 하늘에 계신 우리 아버지

이왕제 시.곡 Arr. Leewangjae
♩=112
Cello 1
Cello 2
1.하 늘 에 계 신 우 리 아 버 지 감 사 찬 양 을
3.우 리 지 은 죄 사 해 주 시 사 시 험 에 들 게
받 으 소 서 주 님 십 자 가 보 혈 흘 리 사 우 리 영 혼 을
마 옵 시 고 세 상 악 에 서 구 하 옵 시 사 주 의 자 녀 로
구 원 했 네 할 렐 루 야 기 뻐 하 세 할 렐 루
삼 으 소 서
할 렐 루 야 기 뻐 하 세
야 기 도 하 세 할 렐 루 야 감 사 하
할 렐 루 야 기 도 하 세 할 렐 루 야
세 영 광 찬 양 아 버 지 께
감 사 하 세 영 광 찬 양

105-1. 하늘에 계신 우리 아버지

PIANO
작사.작곡 이왕제
♩=112
1.하 늘 에 계 신 우 리 아 버 지 감 사 찬 양 을
2.우 리 인 생 을 사 랑 하 시 사 일 용 할 양 식
3.우 리 지 은 죄 사 해 주 시 고 시 험 에 들 게
받 으 소 서 주 님 십 자 가 보 혈 흘 리 사 우 리 영 혼 을
주 시 오 니 주 님 이 주 신 은 혜 와 능 력 주 님 을 위 해
마 옵 소 서 세 상 악 에 서 구 하 옵 시 사 주 의 자 녀 로
구 원 했 네
바 칩 니 다 할 렐 루 야 기 뻐 하 세 할 렐 루
삼 으 소 서
할 렐 루 야 기 뻐 하 세
야 기 도 하 세 할 렐 루 야 감 사 하
할 렐 루 야 기 도 하 세 할 렐 루 야
세 영 광 찬 양 아 버 지 께
감 사 하 세 영 광 찬 양

이왕제

* 1955년 충남 강경
* 목원대학교 음악대학원(음악석사)
* 클라리넷 전공(이규형 · 김정수 · 임현식 교수 사사)
* 논문 : 브람스 클라리넷 5중주 연주법적 고찰
          (지도교수 : 나운영 박사)
* 클라리넷 독주회 3회
* 서울윈드오케스트라 협연(지휘:서현석 교수)
* 저서
  ·소프라노 리코더 교본(1999년-예당음악출판사)
  ·색소폰 연주곡집(이왕제 색소폰·클라리넷 클래식연주법연구회)
  ·찬송가 조에 맞춘 색소폰 앙상블 100 선곡집 BOOK1 (2024년-부크크)
  ·찬송가 조에 맞춘 색소폰 앙상블 100 선곡집 BOOK2 (2024년-부크크)
  ·Saxophone을 위한 Solo. Unison. Ensemble 성가곡·클래식 편 (2024년-부크크)
  ·찬송가 조에 맞춘 Cello 2부 100 선곡집 BOOK1 (2024년-부크크)
  ·찬송가 조에 맞춘 Cello 2부 100 선곡집 BOOK2 (2024년-부크크)
* 동국대학교 전산원(DUICA)수료(컴퓨터 2정교사)
* 수도방위사령부군악대 병장(사령관 공로상 수상)
* (전)대전대신중 · 대성고등학교 콘서트밴드 지도교사
* (전)서울은광여자중고등학교 콘서트밴드 지도교사(청와대 연주)
* (전)홍익대학교사대부속여자중고등학교 오케스트라 지도교사
     (서울특별시교육감 공로상 수상 · 교육과학부장관 공로상 수상)
* (전)대한예수교장로회총회신학교(합동) 교회음악과 교수
* (전)강남교회 성가대 지휘자(김성광 목사-강남금식기도원 원장)
* (전)서울한가람교회 · 분당한울교회 성가대 지휘자(김근수 목사)
* (전)청원윈드오케스트라 지휘자
     한국관악협회(KBA) 고 박종완회장 추모음악회 지휘
* (현)이왕제 색소폰·클라리넷 클래식연주법연구회(과천시1단지종합상가203호)
* (현)별내색소폰오케스트라 지휘자

도서명 : 찬송가 조에 맞춘 Cello 2부 100 선곡집 1권

발   행 | 2024년 8월 26일
저   자 | 이왕제
펴낸이 | 한건희
펴낸곳 | 주식회사 부크크
출판사등록 | 2014.07.15.(제2014-16호)
주   소 | 서울특별시 금천구 가산디지털1로 119 SK트윈타워 A동 305호
전   화 | 1670-8316
이메일 | info@bookk.co.kr

ISBN | 979-11-419-5514-4

www.bookk.co.kr